Die Schriften des Johannes

3 Die Apokalypse

Manfred Krüger

Die Schriften des Johannes

Band 3

Die Apokalypse

Übersetzt, kommentiert und
mit einer Betrachtung
von Manfred Krüger

Verlag Freies Geistesleben

1. Auflage 2011

Verlag Freies Geistesleben
Landhausstraße 82, 70190 Stuttgart
Internet: www.geistesleben.com

ISBN 978-3-7725-1643-6

Copyright © 2011 Verlag Freies Geistesleben
& Urachhaus GmbH, Stuttgart
Druck: Freiburger Graphische Betriebe
Printed in Germany

Inhalt

1. Teil
Die Offenbarung Jesu Christi
empfangen und niedergeschrieben von Johannes

Einleitung
1 Prolog 13
   Der Auftrag an Johannes
   Der Menschensohn als Priesterkönig und die sieben Leuchter

Die Botschaften an die Engel der sieben Gemeinden
2 Ephesus 17
   Smyrna
   Pergamon
   Thyatira
3 Sardes 21
   Philadelphia
   Laodicea

Die Eröffnung des siebenfach versiegelten Buches
4 Der Thronende 26
5 Das Buch mit den sieben Siegeln 28
6 Die Eröffnung der ersten sechs Siegel 30
7 Die Beruhigung der Winde und die 33
   Versiegelung der Getreuen
8 Die Eröffnung des siebenten Siegels 36

Die sieben Engel mit den sieben Posaunen
   Die ersten sechs Posaunen
9 38
10 Johannes verschlingt das Buch 41

11		 43
	Die beiden Zeugen	
	Beim Schall der siebenten Posaune	
12	Die himmlische Frau und der Drache 47	
	Michaels Kampf mit dem Drachen	
13	Das Tier aus dem Meer 50	
	Das Tier aus der Erde	
14	Das Lamm auf dem Berge Zion 53	
	Botschaften der drei Engel	
	Die Ernte	

Die sieben Zornesschalen

15	Das gläserne Meer und Gottes Tempel 57	
16	Die Schalen des Zorns werden über die Erde geschüttet 59	
17	Die Frau auf dem Tier 63	
18	Der Fall Babylons 66	
	Der Engel mit dem Stein	
19	Lobt Gott, den Herrn! 70	
	Der weiße Reiter: das Ende des Tiers und des falschen Propheten	
20	Die Fesselung des Drachen und das tausendjährige Reich 75	
	Der letzte Kampf	
	Das Weltgericht	

Ein neuer Himmel und eine neue Erde

21	Die himmlische Stadt 78
22	Der Baum des Lebens 82

Epilog 85

2. TEIL
BETRACHTUNGEN ZUR APOKALYPSE

Der Verfasser 91

Die Wirklichkeit der Offenbarung
und wie man sie erreicht 93

Der unsichtbare Gott 96

Christus: das Lamm (Gottessohn und Menschensohn) . 98

Die Wirksamkeit des Geistes 102

Das dreifache Böse 104
    Der Drache / Das Tier aus dem Meer /
    Das Tier aus der Erde / Das Zusammenwirken
    der bösen Drei / Und seine Zahl:
    Sechshundertsechsundsechzig

Zahlen 113

Freiheit 116

Johannes, der Empfänger der Offenbarung, in der bildenden Kunst 118

Blick auf die Bamberger Apokalypse 118

Johannes auf den Schultern von Ezechiel 121

Teppichwirkerei von Angers:
Johannes und die zweite Seligpreisung 124

Brüder Limburg: Johannes auf Patmos 127

Johannes auf Patmos in der Sicht Hans Memlings . . . 130

Johannes auf Patmos – Blick auf Hieronymus Bosch . . 135

Ein Nachtstück von Velázquez 141

Anhang

Kommentar zur Apokalypse 147

Anmerkungen zu den Betrachtungen 191
Literaturverzeichnis 196
Abkürzungen 202

Wo der Anfang ist, wird auch das Ende sein.
Logion Christi

Die Liebe schärft auch das Auge.
J. G. Fichte

Johannes. Aus dem Apokalypse-Zyklus von Angers. Teppichwirkerei um 1400, nach einem Entwurf von Hennequin von Brügge.

1. Teil

Die Offenbarung Jesu Christi

empfangen und niedergeschrieben von Johannes

Einleitung

I.

Prolog

1 Offenbarung Jesu Christi,
die ihm von Gott gegeben:
den Seinen aufzuzeigen,
was bald geschehen soll.
Er sandte seinen Engel mit der Kunde
zu seinem Knecht Johannes,
2 der Gottes Wort bezeugt,
das Zeugnis Jesu Christi, alles,
was er geschaut.

3 Selig ist, wer liest und hört die Worte
der Prophetie,
und wer bewahrt die Schrift:
denn nahe ist die hohe Zeit.

4 Johannes an die sieben
Gemeinden Asiens:
Gnade sei mit euch,
Friede von ihm, dem Seienden, der war –
und ist der Kommende;
und von den sieben Geistern
vor seinem Thron;
5 von Jesus Christus, dem getreuen Zeugen,
dem Erstgeborenen der Toten,
dem Herrn der Könige auf Erden!
Ihm, der uns liebt und uns erlöst
von unsern Sünden durch sein Blut,

6 der uns gemacht zu Königen und Priestern
für Gott, für seinen Vater,
ihm sei die Ehre und die Macht
durch alle Zeitenkreise
der Ewigkeit!
Ja,
so soll es sein.

7 *Siehe,*
Er kommt auf Wolken,
und sehen wird ihn jedes Auge.
Die ihn durchbohrt und alle
Geschlechter dieser Erde werden
wehklagen seinetwegen. Ja,
so soll es sein.

8 Ich bin
das A und O, so spricht der Herr,
der Gott, der Seiende, der war
und kommen wird, der Allbeherrscher.

Der Auftrag an Johannes

9 Ich, Johannes, euer Bruder,
Mitgenosse in der Drangsal,
im Reich des Herrn
und in Erwartung Jesu Wiederkunft,
war auf der Insel
mit Namen Patmos,
des Wortes Gottes wegen und als Zeuge
für Jesus.

KAPITEL 1

10 Ich war im Geist am Tag des Herrn
und hörte eine Stimme hinter mir,
so voller Kraft wie von Posaunen,
die sprach:
11 Was du jetzt siehst, das schreibe in ein Buch
und sende es den sieben
Gemeinden: Ephesus und Smyrna,
nach Pergamon und Thyatira,
Sardes und Philadelphia
und nach Laodicea.
12 Und ich wandte mich um,
zu sehen nach der Stimme,
die mit mir sprach.

**Der Menschensohn als Priesterkönig
und die sieben Leuchter**

Und rückgewendet sah ich sieben
goldene Leuchter,
13 und in der Leuchter Mitte
eine Gestalt, die glich dem Sohn des Menschen,
mit einem bodenlangen
Gewand bekleidet; und die Brust
umgab ein goldner Gürtel.
14 Sein Haupt und Haar war weiß
wie weiße Wolle,
wie Schnee, und seine Augen waren Flammen
15 wie Feuer, seine Füße
wie Golderz, das im Ofen glüht,
und seine Stimme klang
wie Wasserrauschen.

16 In seiner Rechten trug er sieben Sterne.
Aus seinem Munde kam ein Schwert,
zweischneidig, scharf.
Sein Antlitz strahlte,
wie die Sonne scheint
in ihrer Macht.

17 Als ich ihn sah,
fiel ich zu seinen Füßen nieder:
wie tot.
Er legte seine Rechte
auf mich und sprach:
Fürchte dich nicht!
Ich bin
der Erste und der Letzte
18 und der Lebendige.
Und ich war tot, und siehe:
lebendig bin ich
in Ewigkeit, durch Zeitenkreise.
Die Schlüssel trage ich
des Todes und der Hölle.
19 Schreibe, was du gesehn,
was ist und was noch kommt:
20 der sieben Sterne, die du sahst
in meiner Rechten,
und jener sieben Leuchter
Geheimnis.
Die sieben Sterne sind die Engel
der sieben
Gemeinden, und die sieben Leuchter
sind die Gemeinden selbst, die sieben.

KAPITEL 2

Die Botschaften an die Engel der sieben Gemeinden
2.

Ephesus

1 Schreibe dem Engel der Gemeinde
 zu *Ephesus:*
 Dies spricht, der in der Rechten
 die sieben Sterne hält und wandelt in der Mitte
 der sieben goldnen Leuchter.

2 Ich kenne deine Taten, deine Mühe,
 deine Geduld; die Bösen
 erträgst du nicht; du hast geprüft,
 wer sich Apostel nennt und ist es nicht;
 Als Lügner hast du sie erkannt.

3 Geduldig hast du ausgeharrt
 und viel ertragen
 um meines Namens willen,
 und nimmer müde wurdest du.

4 Doch hab ich wider dich,
 dass du verließest deine erste Liebe.

5 Bedenk, wovon du abgefallen bist,
 und denke um.
 Vollende jene ersten Werke.
 Wenn anders ich dich überkommen werde,
 um deinen Leuchter
 von seinem Platz zu rücken:
 wenn du nicht umdenkst.

6 Doch wohl gefällt mir,
 dass du, wie ich, das Treiben
 der Nikolaiten hassest.

7 Wer Ohren hat, der höre, was der Geist
sagt den Gemeinden.
Wer überwindet,
dem gebe ich zu essen
vom Baum des Lebens
in Gottes Paradies.

Smyrna

8 Dann schreibe
dem Engel der Gemeinde
zu *Smyrna:*
Dies sagt der Erste und der Letzte; tot
ist er gewesen,
lebendig wurde er.
9 Ich kenne deine Armut,
doch bist du reich.
Ich weiß, was dich bedrängt:
die Lästerung von Juden,
die es nicht sind;
sie sind vielmehr die Synagoge
des Satans.
10 Und fürchte nicht, zu leiden!
Siehe, der Teufel
wird einige von euch ins Zuchthaus werfen,
um euch so zu versuchen.
Ihr werdet in Bedrängnis kommen,
zehn Tage lang.
Sei treu bis in den Tod,
so will ich dir den Kranz des Lebens geben.

11 Wer Ohren hat, der höre, was der Geist
sagt den Gemeinden!

Wer überwindet, wird vom zweiten Tod
nicht Schaden nehmen.

Pergamon

12 Dann schreibe
dem Engel der Gemeinde
zu *Pergamon*.
Dies sagt, der führt das Schwert,
zweischneidig, scharf.
13 Ich kenne deinen Wohnort:
beim Throne Satans.
An meinem Namen hältst du fest,
verleugnet hast du nicht den Glauben
an mich in jenen Tagen, da mein treuer
Zeuge Antipas ward getötet
bei euch, wo Satan haust.

14 Doch etwas hab ich wider dich:
Du hast noch Folger
der Lehre Bileams, der Balak lehrte,
wie man die Söhne Israels verführt,
Unzucht zu treiben
und Götzenopferfleisch zu essen;
15 und andere, die folgen
Nikolaiten-Lehren.

16 Kehr um! Wenn aber nicht,
so komme ich zu dir,
sie zu bekämpfen mit dem Schwert
aus meinem Mund.
17 Wer Ohren hat, der höre, was der Geist
sagt den Gemeinden!

Wer siegt, dem gebe ich geheimes Manna
und einen weißen Stein,
und auf dem Stein den neuen Namen,
den niemand kennt – denn nur,
wer ihn empfängt.

Thyatira

18 Dem Engel der Gemeinde
von *Thyatira* schreibe:
Dies sagt der Sohn-Gott, dessen Augen
wie Feuer lodern,
und seine Füße scheinen wie von Golderz.
19 Ich kenne deine Werke, deine Liebe
und deinen Glauben,
Helferwillen und Geduld.
Und mit den letzten deiner Taten
hast du die ersten übertroffen.

20 Doch hab ich wider dich,
dass du gewähren lässt das Weib Isebel,
die sich Prophetin nennt.
Sie lehrt, verführend, die mir dienen,
Unzucht zu treiben, Götzenfleisch zu essen.
21 Zeit hab ich ihr gelassen, umzudenken.
Sie will es nicht und bleibt bei ihrer Unzucht.
22 Ich werfe sie auf's Krankenlager, siehe,
und wer die Ehe bricht mit ihr,
in große Drangsal, wer
nicht umdenkt und von ihr nicht lassen will.
23 Und ihre Brut soll sterben
in Todeskrämpfen.
Erkennen sollen die Gemeinden,

dass ich es bin, der Herz und Nieren prüft.
Und jedem wird vergolten
nach seinen Taten.

24 Euch aber, die ihr sonst noch lebt
in Thyatira
und diese Lehre
nicht angenommen habt,
die Tiefen Satans, wie sie sagen,
nicht kennt:
Euch will ich nicht belasten;
25 Doch was ihr habt, das haltet
fest, bis ich komme.
26 Wer überwindet und beständig bleibt
bis an das Ende meiner Werke,
dem gebe ich die Macht,
zu herrschen über Völker.
27 Er wird sie weiden mit dem Eisenstab,
mit dem die irdenen Gefäße
28 zerschlagen werden, wie auch ich
die Macht von meinem Vater
empfangen habe:
Ich gebe ihm den Morgenstern.

29 Wer Ohren hat, der höre, was der Geist
sagt den Gemeinden!

3.

Sardes

1 Dem Engel der Gemeinde
zu *Sardes* schreibe:

Das sagt,
dem jene sieben Geister Gottes
und auch die sieben Sterne dienen:
Ich kenne deine Taten, deinen Namen,
der sagt: du lebst – doch bist du tot.
2 Wach auf und stärke lebenskräftig,
den Rest, den sterbenden. Ich habe,
was du getan, nicht als vollkommen
3 vor meinem Gott befunden. Denke,
was du empfangen und gehört:
Dies halte fest,
wende dich um!
Wenn du nicht wach wirst, komm ich wie ein Dieb,
und dir bleibt unbekannt,
zu welcher Stunde ich dich überkomme.

4 Doch hast du Menschen
in Sardes, deren Kleider
noch unbefleckt. In weißen
Gewändern werden sie mit mir
– denn würdig sind sie – wandeln.
5 Wer überwindet, wird in Weiß gekleidet.
Ich werde seinen Namen niemals löschen
im Buch des Lebens.
Vor meinem Vater und vor seinen Engeln
will ich den Namen
bekennen.
6 Wer Ohren hat, der höre, was der Geist
sagt den Gemeinden!

Philadelphia

7 Und dann schreibe dem Engel der Gemeinde
zu *Philadelphia:*

Dies sagt der Heilige, Wahrhaftige;
er trägt den Schlüssel Davids,
der öffnet alle Tore,
und niemand kann sie schließen;
der schließt, und niemand kann sie öffnen.
8 Ich kenne deine Taten, siehe:
Ich habe eine Türe aufgetan vor dir,
und niemand kann sie schließen.
Du hast nur wenig Kraft und doch
bewahrt mein Wort
und meinen Namen nicht verleugnet.
9 Siehe,
ich werde zu dir schicken
aus Satans Synagoge Juden,
die es zu sein behaupten und nicht sind.
Sie lügen, siehe:
Sie sollen dir zu Füßen niederfallen.
Begreifen mögen sie:
Dich habe ich geliebt.
10 Weil du mein Wort von der Geduld
bewahrt hast, will auch ich bewahren dich
vor der Versuchung,
die kommen wird über die ganze
bewohnte Welt:
die Erdbewohner werden
versucht.
11 *Siehe,*
ich komme bald.
Halte deine Habe fest,
dass niemand nehme deinen Kranz.
12 Wer überwindet, soll zur Säule
im Tempel meines Gottes werden.
Er bleibt für immer.

Denn schreiben werde ich auf jene Säulen
den Namen meines Gottes und den Namen
Neues Jerusalem, die Stadt,
die aus dem Himmel
herniedersteigt von meinem Gott,
und meinen Namen,
den neuen.

13 Wer Ohren hat, der höre was der Geist
sagt den Gemeinden!

Laodicea

14 Und schreibe auch dem Engel der Gemeinde
Laodicea:
Das sagt, mit Namen «Ja, gewiss»,
der Zeuge,
der treu ist und wahrhaftig:
Der Anfang aller Schöpfung Gottes.
15 Ich kenne deine Taten,
dass du nicht kalt bist und nicht heiß.
O wärest kalt du oder heiß!
16 So lauwarm, wie du bist,
– nicht heiß, nicht kalt –
wirst du aus meinem Munde ausgespien.
17 Du sagst:
Reich bin ich, reich
bin ich geworden, Mangel
kenne ich nicht.
Doch weißt du nicht, wie sehr du leidest,
ganz jämmerlich und arm, und blind und bloß.
18 Ich rate dir, von mir
im Feuer

geläutert Gold zu kaufen,
damit du reich wirst,
und weiße Kleider,
die Schande deiner Blöße zu bedecken,
und Salbe
für deine Augen, dass du sehen mögest.
19 Ich weise alle, die ich liebe,
zurecht und züchtige.
Bemühe dich und denke um!

20 Siehe, ich stehe vor der Tür
und klopfe an.
Wenn jemand meine Stimme hört und öffnet
die Tür:
ich werde eingehn
zu ihm und mit ihm speisen
und er mit mir.
21 Wer überwindet,
dem gebe ich zu sitzen neben mir
auf meinem Thron,
wie ich auch überwunden habe, sitzend
zur Seite meines Vaters
auf dessen Thron.

22 Wer Ohren hat, der höre, was der Geist
sagt den Gemeinden!

Die Eröffnung des siebenfach versiegelten Buches

4.

Der Thronende

1 Ich sah, und siehe:
ein Tor im Himmel offen –
und jene erste Stimme,
die ich gehört, wie von Posaunen,
die sprach: Steig auf zu mir,
ich will dir zeigen, was geschehen wird.
2 Sogleich war ich im Geist, und siehe:
ein Thron im Himmel –
3 und der auf diesem Throne sitzt,
ist anzusehn wie Jaspis
und Sarder;
rings um den Thron ein Regenbogen
wie von Smaragd.

4 Und vierundzwanzig Throne
im Kreis, darauf
die vierundzwanzig Ältesten,
mit weißen Kleidern angetan;
und goldne Kronen tragen sie
auf ihren Häuptern.
5 Es kommen Blitze, Wort und Donner
von jenem Thron.
Und vor dem Thron
da lodern sieben Fackeln.
Das sind die sieben Geister Gottes.
6 Und vor dem Thron:
gläsern,

ein Meer, wie aus Kristall;
und mittig um den Thron, im Kreis,
vier Wesen, vorn und hinten voller Augen.
7 Das erste gleicht dem Löwen,
das zweite einem Kalb, das dritte
hat Menschenantlitz,
das vierte aber gleicht dem Adler
im Flug.
8 Und die Vier Wesen haben je sechs Flügel
ringsum;
und innen sind sie voller Augen.
Sie ruhen nicht
und rufen: heilig, heilig, heilig
ist Gott, der Herr, der Allbeherrscher,
der war und ist und kommt.

9 Und immer wenn die Wesen danken
und Preis und Ehre geben dem,
der thront und ewig lebt,
durch Zeitenkreise,
10 fallen die vierundzwanzig Ältesten
nieder und beten an
den Thronenden, der ewig lebt,
durch Zeitenkreise,
und legen ihre Kronen vor den Thron
mit diesen Worten:
11 Oh Herr und unser Gott!
Erhaben bist du, zu empfangen
den Glanz, die Ehre und die Macht,
weil du das All geschaffen hast:
Es war durch deinen Willen, du
hast es geschaffen.

5.
Das Buch mit den sieben Siegeln

1 Und in der Rechten hielt der Thronende
ein Buch.
Ich sah, es war beschrieben
von innen und von außen – und versiegelt
mit sieben Siegeln.

2 Und ich sah einen starken Engel,
der tat mit lauter Stimme kund:
Wer hat die Würde, dieses Buch zu öffnen,
zu lösen seine Siegel?

3 Und niemand war im Himmel,
auf Erden, noch in Erdentiefen
vermögend, aufzutun das Buch
und einzusehn.

4 Ich weinte sehr,
weil niemand würdig ward befunden,
das Buch zu öffnen und darin zu lesen.

5 Und einer von den Ältesten
sagte zu mir:
Weine nicht!
Siehe, der Löwe aus dem Stamme Juda,
die Wurzel Davids, hat gesiegt:
Er wird das Buch
und seine sieben Siegel öffnen.

6 Dann sah ich in der Mitte
der Ältesten
vor jenem Thron und den Vier Wesen
ein Lamm.
Es stand als wie geschlachtet,
mit sieben Hörnern, sieben Augen –

das sind die sieben Geister Gottes,
gesandt über den Erdkreis.
7 Es kam und nahm das Buch,
das ihm der Thronende
aus seiner Rechten gab:
8 Und als es jenes Buch
an sich genommen hatte,
da fielen vor ihm nieder
die vierundzwanzig Ältesten;
und jeder hatte eine Harfe
und goldne Schalen voll
der Kräuter Wohlgeruch – das sind Gebete
9 der Heiligen. Sie singen
ein neues Lied
und sagen: Würdig bist du,
das Buch
zu nehmen und zu öffnen seine Siegel,
weil du, geschlachtet, durch dein Blut
Menschen erworben hast für Gott:
aus jedem Stamm und jeder Sprache
aus jedem Land und jedem Volk
10 und machtest sie für unsern Gott
zu Königen und Priestern;
und herrschen werden sie auf Erden.

11 Ich sah
und hörte Worte
von vielen Engeln
im Kreis um jenen Thron,
um die Vier Wesen und die Ältesten;
und ihre Zahl war Myriaden
von Myriaden
und Tausende von Tausenden.

12 Mit lauter Stimme sprachen sie:
Das Opferlamm ist würdig,
zu nehmen Macht und Fülle,
Weisheit und Stärke, Ehre, Glanz und Preis.
13 Jedes Geschöpf, im Himmel und auf Erden,
in Erdentiefen, auf dem Meer,
von überall, hörte ich sagen:
Dem Thronenden und seinem Lamm
gebührt der Preis, die Ehre und der Glanz
und alle Macht in Ewigkeit
durch Zeitenkreise.
14 Und die Vier Wesen sagten: Ja,
so soll es sein.
Und nieder fielen
die Ältesten, um anzubeten.

6.

Die Eröffnung der ersten sechs Siegel

1 Ich sah: Das Lamm
eröffnete der sieben Siegel erstes.
Ich hörte eines der Vier Wesen reden
mit Donnerstimme: Komm!
2 Ich sah, und siehe:
ein weißes Pferd! Ein Reiter,
der hatte einen Bogen.
Ein Kranz ward ihm gegeben, und er zog
von Sieg zu Sieg.
3 Und als das Lamm das zweite Siegel brach,
da hörte ich das zweite Wesen reden:
Komm!

4 Ein andres Pferd,
  ein feuerrotes, sprang heraus!
  Und seinem Reiter ward gegeben,
  den Frieden von der Erde wegzunehmen:
  Abschlachten sollten sie sich gegenseitig.
  Und er bekam ein großes Schwert.

5 Als dann das dritte Siegel ward geöffnet,
  da hörte ich das dritte Wesen sagen:
  Komm!
  Ich sah, und siehe:
  ein schwarzes Pferd! Der Reiter,
  trug eine Waage in der Hand.

6 Ich hörte eine Stimme
  wie aus der Mitte der Vier Wesen,
  die sprach:
  Ein Weizenmaß für einen Tageslohn
  und drei Maß Gerste: einen Tageslohn!
  Doch Öl und Wein verschone.

7 Und als das Lamm das vierte Siegel brach,
  da hörte ich die Stimme
  des vierten Wesens sprechen: Komm!

8 Ich sah, und siehe:
  ein fahles Pferd!
  Der Reiter ward genannt: der Tod.
  Die Hölle folgte nach.
  Es wurde ihnen Macht verliehn,
  den vierten Teil der Erde,
  zu töten – mit dem Schwert,
  durch Hunger, Pest und wilde Tiere.

9 Und als das Lamm das fünfte Siegel brach,
  sah ich zu Füßen des Altars
  die Seelen, die geopfert wurden,

weil sie als treue Zeugen
von Gottes Wort nicht ließen.
10 Mit lauter Stimme schrien sie und sagten:
O, Herr, o heilig und wahrhaftig,
wann wirst du richten,
an Erdbewohnern rächen unser Blut?
11 Da wurden sie mit weißen Kleidern angetan.
Es hieß, sie sollten ruhen,
noch eine kleine Weile,
bis alle Knechte Gottes, ihre Brüder,
wie sie getötet würden.

12 Ich sah, als dann das sechste Siegel
eröffnet wurde und die Erde bebte,
die Sonne sich verfinstern:
ein schwarzer Sack.
13 Der Mond war blutig rot, die Sterne
fielen herab
vom Himmel auf die Erde,
gleich einem Feigenbaum, der windgeschüttelt
14 die letzten Früchte abwirft. Und der Himmel
zog sich zusammen – ein gerolltes Buch.
Und jeder Berg und alle Inseln
gerieten in Bewegung.
15 Die Könige und Führer dieser Erde,
die Mächtigen und Reichen, Starken,
die Sklaven und die Freien,
verbargen sich in Höhlen
und zwischen Bergesklippen.
16 Und zu den Bergen und den Felsen
sprachen sie: Fallt!
Fallt nieder,
verbergt uns vor dem Angesicht

des Thronenden
und vor dem Zorn des Lammes.
17 Nun ist der Tag des Zorns gekommen;
wer kann bestehn?

7.

Die Beruhigung der Winde und die Versiegelung der Getreuen

1 Danach sah ich vier Engel,
die standen an den Ecken
des irdischen Gevierts
und hielten die vier Winde fest,
damit kein Wind auf Erden wehe,
noch auf dem Meer,
kein Baum sich beuge.
2 Und einen Engel sah ich;
der kam von Sonnenaufgang
und trug das Siegel des lebendigen Gottes;
der rief mit lauter Stimme zu den Vieren
in ihrer Macht,
der Erde und dem Meer zu schaden:
3 Zähmt eure Macht und schadet nicht der Erde,
dem Meer und keinem Baum,
bis wir mit einem Siegel auf der Stirn
die Diener unsers Gottes
gezeichnet haben.

4 Ich hörte
die Zahl der mit dem Siegel
Gezeichneten:

Einhundertvierundvierzigtausend
aus jedem Stamm der Söhne Israels,
gezeichnet mit dem Siegel:
5 Zwölftausend aus dem Stamme Juda,
gezeichnet mit dem Siegel;
zwölftausend aus dem Stamme Ruben,
6 zwölftausend aus dem Stamme Ascher,
zwölftausend aus dem Stamme Naftali,
zwölftausend aus dem Stamm Manasse,
7 zwölftausend aus dem Stamme Simeon,
zwölftausend aus dem Stamme Levi,
zwölftausend aus dem Stamme Issachar,
8 zwölftausend aus dem Stamme Sebulon,
zwölftausend aus dem Stamme Josef,
zwölftausend aus dem Stamme Benjamin,
gezeichnet mit dem Siegel.

9 Danach sah ich, und siehe:
groß war die Schar, die niemand zählen konnte,
aus jedem Volk und jedem Stamm,
Geschlechter aller Sprachen;
die standen vor dem Thron und vor dem Lamm.
Bekleidet waren sie mit weißen
Gewändern; und sie trugen
Palmzweige in den Händen.

10 Mit lauter Stimme rufen sie und künden:
Die Rettung kommt von unserm Gott,
dem Thronenden,
und von dem Lamm.
11 Und alle Engel standen
rings um den Thron. Die Ältesten
und die Vier Wesen knieten nieder,

sie fielen auf ihr Angesicht vor jenem Thron
und beteten zu Gott
12 und sagten: Ja, es sei.
Die Huldigung, der Glanz, die Weisheit,
Dank, Ehrfurcht, Macht und Stärke
sei unserm Gott in Ewigkeit
durch Zeitenkreise! Ja,
so soll es sein.

13 Und einer aus dem Kreis der Ältesten hub an
und sprach zu mir:
Die Weißgekleideten, wer sind sie?
Woher sind sie gekommen?
14 Mein hoher Herr, sprach ich, du weißt es.
Da sagte er zu mir: Aus großer Drangsal
sind sie gekommen, haben ihre Kleider
gewaschen: weiß, durchlichtet
im Blut des Lammes.
15 So stehen sie vor Gottes Thron
und dienen Tag und Nacht in seinem Tempel.
Der Thronende ist über ihnen.
16 Sie werden nicht mehr hungern, dürsten;
die Sonne
wird sie nicht brennen, Hitze
17 nicht drücken, weil das Lamm,
inmitten vor dem Thron
sie auf die Weide führen wird
und zu den Quellen
der Wasser alles Lebens. Gott
wird jede Träne
aus ihren Augen trocknen.

8.

Die Eröffnung des siebenten Siegels

1 Und als das Lamm das siebente
der Siegel brach, entstand ein Schweigen
im Himmel,
die erste Hälfte einer Gottesstunde.
2 Ich sah die sieben Engel stehn vor Gott,
und sie bekamen sieben
Posaunen.

3 Dann kam ein andrer Engel
an den Altar mit goldnem Rauchgefäß.
Gegeben wurde ihm viel Räucherwerk
für die Gebete aller Heiligen
zum Opfer am Altar aus Gold
vor jenem Thron.
4 Auf stieg der Rauch vom Räucherwerk
von Hand des Engels
mit dem Gebet der Heiligen zu Gott.
5 Und jener Engel nahm das Rauchgefäß
und füllte es mit Feuer vom Altar
und warf es auf die Erde.
Daraus entstanden Donner,
Getöse, Blitze, Beben.

6 Und jene sieben Engel mit den sieben
Posaunen setzten an, zu blasen.

KAPITEL 8

Die sieben Engel mit den sieben Posaunen

Die ersten sechs Posaunen

7   Es blies der erste die Posaune.
    Da gingen Hagel
    und Feuer nieder
    mit Blut gemischt
    auf diese Erde, deren dritter Teil
    verbrannte;
    und es verbrannte
    der dritte Teil der Bäume;
    und es verbrannte
    das ganze grüne Gras.

8   Es blies der zweite Engel die Posaune.
    Da ward ein großer Berg
    brennend ins Meer geworfen.
9   Der dritte Teil des Meeres ward zu Blut;
    Der dritte Teil der Meereslebewesen
    starb.
    Der dritte Teil der Schiffe ward vernichtet.

10 Es blies der dritte Engel die Posaune.
    Da fiel ein großer Stern vom Himmel,
    lodernd wie eine Fackel,
    und fiel auf einen dritten Teil
    der Flüsse
    und Wasserquellen.
11 Der Stern trug einen Namen:
    Absinth.
    Der dritte Teil der Wasser ward
    Absinth.

Und viele Mensche starben an den Wassern:
Sie waren bitter.

12   Es blies der vierte Engel die Posaune.
Da ward der dritte Teil der Sonne,
der dritte Teil des Mondes und
der dritte Teil der Sterne
geschlagen, dass sie finster wurden
zum dritten Teil, und Tag und Nacht
ein Drittel ihrer Helligkeit verloren.

13   Dann sah und hörte ich:
ein Adler flog am Himmel, im Zenith,
und rief mit lauter Stimme:
Wehe! Wehe! Wehe!
den Erdbewohnern, denn noch drei
Posaunenengel werden blasen!

9.

1   Da blies der fünfte Engel die Posaune.
Und ich sah einen Stern
vom Himmel auf die Erde fallen.
Er trug den Schlüssel
zum Abgrund
2   und öffnete den Schacht:
herauf stieg Rauch
aus jenem Schlund, wie Rauch
von einem großen Ofen.
Die Sonne wurde schwarz, so auch die Luft
vom Rauch des Abgrunds.
3   Heuschrecken kamen aus dem Qualm

> und stürzten auf die Erde nieder,
> zu wüten wie Skorpione.
4 Doch sollten sie das Gras der Erde schonen,
> die grünen Pflanzen, alle Bäume, nicht jedoch
> die Menschen ohne Gottes Siegel auf der Stirn.
5 Und Macht bekamen sie,
> nicht um zu töten: quälen sollten sie
> fünf Monde lang.
> Und die Skorpione stachen.

6 Zu jener Zeit werden die Menschen
> den Tod ersehnen und nicht finden.
> Sie wollen sterben, und der Tod:
> er wird sie meiden.

7 Heuschrecken waren es, gleich Rossen,
> gerüstet wie zum Krieg,
> mit goldschimmernden Kränzen auf dem Haupt.
8 Sie trugen Menschenantlitz, Frauenhaar
> und Löwenzähne,
9 eiserne Panzer; und ihr Flügelschlag
> war ratternd wie von Pferdewagen
> im Krieg.
10 Sie hatten Stachelschwänze wie Skorpione
> und in den Schwänzen ihre Macht, zu quälen
> die Menschen durch fünf Monde.
11 Ihr König ist der Engel
> des Abgrunds.
> Sein Name ist hebräisch Abbadon
> und griechisch Apollýon.

12 Das erste Wehe ist gewesen. Siehe
> zwei Wehe werden folgen.

13 Es blies der sechste Engel die Posaune.
Da hörte ich aus den vier Hörnern
des goldenen Altars vor Gott,
14 wie eine Stimme sprach
zum sechsten der Posaunenengel:
Löse das Band, mit dem vier Engel
gebunden sind, am Strom des Euphrat.
15 Da wurden die vier Engel losgelassen,
bereit zur Stunde,
am Tag, im Monat und im Jahr,
den dritten Teil der Menschen umzubringen.
16 Die Zahl der Reiterscharen war Myriaden
und Myriaden.
Ich hörte ihre Zahl.

17 So sah ich sie, die Pferde,
in meiner Schau, die Reiter:
sie trugen feuerrote, blaue
und schwefelgelbe Panzer.
Die Pferde hatten Löwenköpfe.
Aus ihren Mäulern
kam Feuer, Rauch und Schwefel.
18 Drei Plagen! Und der dritte Teil
der Menschen ward getötet von dem Feuer,
von Rauch und Schwefel aus den Pferderachen.
19 Denn diese Pferde haben Macht in Mäulern
und Schwänzen.
Die Schwänze glichen Schlangen
mit Köpfen, um sich beißend.

20 Die Menschen, die noch nicht getötet waren
von diesen Plagen,
bekehrten sich mitnichten,
von ihrer Hände bösem Werk zu lassen.

Sie fuhren fort, Dämonen anzubeten
und Götzenbilder
aus Gold und Silber, Bronze, Stein und Holz,
die niemals sehen können,
noch hören oder wandeln.
21 Sie wollten sich von Mord und von Magie,
Unzucht und Dieberei nicht wenden.

10.

Johannes verschlingt das Buch

1 Und ich erschaute
noch einen andern starken Engel;
der kam im Wolkenkleid herab vom Himmel,
den Regenbogen über seinem Haupt.
Sein Antlitz strahlte wie die Sonne;
und seine Füße waren Feuersäulen.
2 In seiner Hand
hielt er ein kleines Buch.
Es war geöffnet.
Mit seinem rechten Fuß trat er auf's Meer
und mit dem linken auf das Land.
3 Mit lauter Stimme rief er
gleich wie ein Löwe brüllt.
Und auf den Ruf erhoben
die sieben Donner ihre Stimme.
4 Und als die sieben Donner
geredet hatten,
da wollte ich es niederschreiben;
doch hörte ich,
wie eine Stimme aus dem Himmel sprach:

> Versiegle was die sieben Donner sagten,
> und schreibe nicht!
5 Und jener Engel,
> der auf dem Meer und auf dem Lande stand,
> hob seine Rechte auf zum Himmel
6 und schwur bei Ihm, der lebt,
> in Ewigkeit, durch Zeitenkreise,
> dem Schöpfer
> des Himmels
> und was im Himmel ist,
> der Erde
> und was auf Erden ist,
> des Meeres,
> bei allem was darin:
> Die Zeit wird enden.

7 In jenen Tagen
> des siebten Engels, wenn
> der Engel die Posaune bläst,
> dann wird vollendet das Geheimnis Gottes,
> wie er es seinen Dienern, den Propheten,
> verkündet hat.

8 Da hörte ich sie wieder, jene Stimme,
> die aus dem Himmel
> zu mir gesprochen hatte.
> Sie sagte mir: Geh hin
> und nimm das aufgeschlag'ne Buch;
> nimm's aus der Hand des Engels,
> der auf dem Meer und auf dem Lande steht!
9 Ich ging zu diesem Engel,
> und sprach zu ihm:
> Gib mir das kleine Buch!

Drauf sagte er zu mir:
Nimm und verschling's!
Es wird dir bitter sein im Magen,
im Mund jedoch so süß wie Honig.
10 Ich nahm das kleine Buch aus seiner Hand,
verschlang es, und es war in meinem Mund
wie süßer Honig.
Und als ich es verschlungen hatte,
da ward es bitter
in meinem Bauch.
11 Und Stimmen sagten mir:
Nun musst du wieder
weissagen über Völker, Stämme, Sprachen
und viele Könige.

11.

1 Gegeben wurde mir ein Rohr als Maß
mit diesen Worten:
Steh auf, vermiss den Tempel Gottes
und den Altar mit allen, die da beten.
2 Doch lass den äußern Vorhof
des Tempels aus;
vermiss ihn nicht:
Er ist den Heiden überlassen.
Sie werden
die Heil'ge Stadt in zweiundvierzig Monden
zertrümmern.

Die beiden Zeugen

3 Und einen Auftrag habe ich
für meine beiden Zeugen:
Weissagen sollen sie
tausendzweihundertsechzig Tage lang,
bekleidet nur mit Säcken.
4 Es sind die zwei Olivenbäume
und die zwei Leuchter,
die vor dem Herrn der Erde stehn.
5 Wenn einer sie verletzen will,
kommt Feuer
aus ihrem Mund: verzehren
wird es die Feinde.
Wer ihnen schaden will,
der wird getötet.
6 Sie haben Macht,
den Himmel zu verschließen,
dass, während sie prophetisch künden,
kein Regen fällt, die Erde zu benetzen.
Sie haben Macht, das Wasser
in Blut zu wandeln
und so mit Plagen diese Erde
nach eigenem Ermessen sonder Zahl
zu schlagen.

7 Und wenn sie dann ihr Zeugnis
vollendet haben, steigt das Tier
aus seinem Abgrund auf,
sie zu bekämpfen;
und es wird siegen und die Zeugen töten:
8 Die Leichen werden auf der Straße liegen
in jener großen Stadt,

die geistlich Sodom und Ägypten heißt,
wo auch ihr Herr gekreuzigt wurde.
9 Und Menschen
aus allen Völkern und Geschlechtern,
aus allen Sprachen und Nationen
werden die Leichen liegen sehen: Drei
und einen halben Tag wird untersagt,
sie in ein Grab zu legen.
10 Darüber sind die Erdbewohner froh;
frohlocken werden sie und sich beschenken;
Denn diese zwei Propheten waren es,
die jene Plagen auf die Erde sandten.

11 Und dann nach drei und einem halben Tag
erfasste sie der Lebensgeist aus Gott.
Sie standen auf, und große Angst
befiel die Menschen, die es sahen.
12 Und eine große Stimme hörten sie,
die aus dem Himmel
zu ihnen sprach: hierher, herauf!
Und in den Himmel stiegen sie empor
in einer Wolke,
und ihre Feinde sahen es.
13 Zu dieser Stunde bebte
die Erde und der zehnte Teil der Stadt
stürzte in Trümmer.
Getötet wurden siebentausend Menschen
bei diesem Beben.
Die andern waren angsterfüllt und gaben
die Ehre Gott im Himmel.

14 Das zweite Wehe ist vorüber, siehe:
Bald kommt das dritte Wehe.

Beim Schall der siebenten Posaune

15 Dann blies der siebte Engel die Posaune,
und laute Stimmen
erhoben sich im Himmel.
Sie sprachen:
Die Herrschaft über diese Welt
hat unser Herr und sein Gesalbter;
und er wird herrschen
in Ewigkeit, durch Zeitenkreise.

16 Die vierundzwanzig Ältesten
auf ihrem Thron vor Gott:
Sie fielen auf ihr Angesicht
und beteten zu Gott. Sie sprachen so:

17 Wir danken dir, Herr Gott, Allmächtiger,
der ist und war,
dass du die Macht ergriffen
und deine Herrschaft angetreten hast.

18 Die Völker überkam der Zorn.
Nun ist dein Zorn gekommen und
die hohe Zeit der Toten:
Gericht zu halten
und Lohn zu geben
auch deinen Dienern, den Propheten,
den Heiligen und allen,
die Ehrfurcht übten
bei deinem Namen,
den Kleinen und den Großen,
und dass du die Verderber dieser Erde
verdirbst.

19 Da ward der Tempel Gottes
im Himmel aufgetan.

Die Bundeslade war zu sehen
in Seinem Tempel;
Blitze zuckten, Stimmen
und Donner folgten;
Es bebte
die Erde unter großem Hagelschlag.

12.

Die himmlische Frau und der Drache

1 Und es erschien ein großes Zeichen
am Himmel: eine Frau,
bekleidet mit der Sonne,
den Mond zu ihren Füßen, einen Kranz
der Sterne zwölf auf ihrem Haupt.
2 Und sie war schwanger
und schrie in Kindesnöten, schwer
war die Geburt.
3 Und es erschien ein andres Zeichen
am Himmel, siehe:
ein großer, feuerroter Drache
mit sieben Köpfen und zehn Hörnern,
auf seinen Köpfen sieben Diademe.
4 Sein Schwanz fegte hinweg
den dritten Teil der Sterne
des Himmels. Auf die Erde warf er sie,
der Drache,
trat vor die Frau in Wehen, um ihr Kind,
wenn es geboren wäre, zu verschlingen.
5 Und sie gebar.
Es war ein Sohn, ein Knabe, der

mit einem Stab aus Eisen alle Völker
weiden soll.
Ihr Kind wurde entrückt zu Gott.
Es kam vor seinen Thron.
6 Die Frau floh in die Wüste.
Da hat sie einen Ort, von Gott bereitet,
um dort ernährt zu werden
tausendzweihundertsechzig Tage lang.

Michaels Kampf mit dem Drachen

7 Und es entbrannte
ein Streit im Himmel.
Michael
und seine Engel kämpften mit dem Drachen.
Der Drache führte Krieg und seine Engel.
8 Er unterlag. Sein Platz
war nicht mehr in den Himmeln.
9 Gestürzt ward er, der große Drache,
die alte Schlange, die man Teufel nennt,
und Satan auch, der alle Welt verführt.
Er wurde auf die Erde
geworfen.
Und seine Engel wurden
mit ihm hinabgeworfen.

10 Und eine helle Stimme hörte ich
im Himmel sagen:
Nun ist das Heil gekommen,
die Macht und Herrschaft Gottes,
die Wesensmacht des Christus,
weil er, der Ankläger,
hinabgeworfen wurde, er,

der unsre Brüder Tag und Nacht verklagt
vor Gott.
11 Sie haben ihn besiegt
nur mit dem Blut des Lammes
und mit dem Wort, das sie bezeugt.
Ihr Leben ließen sie dem Tod.
12 Freut euch darum, ihr Himmel
und die in ihnen wohnen!
Wehe der Erde und dem Meer:
Es stieg herab zu euch der Teufel,
gewaltig ist sein Zorn, er weiß,
ihm bleibt nur wenig Zeit.

13 Und als der Drache sah,
dass er nun auf die Erde
geworfen war,
verfolgte er die Frau, die jenen Knaben
geboren hatte.
14 Die Frau jedoch erhielt die beiden Flügel
des großen Adlers, dass sie fliege
an ihren Wüstenort,
wo sie, entfernt vom Angesicht der Schlange,
genährt wird eine Zeit,
und zwei und eine halbe Zeit.
15 Da spie die Schlange Wasser
wie einen Strom aus ihrem Rachen
der Frau nach, um sie zu ersäufen.
16 Die Erde aber half der Frau.
Es öffnete die Erde einen Spalt,
und sie verschlang den Strom,
den ausgestoßen hatte jener Drache
aus seinem Schlund.
17 Und voller Wut über die Frau

ging weg der Drache, Krieg zu führen
mit allen
aus dem Geschlecht der Frau,
die den Geboten Gottes
und Jesu Leidenszeugnis folgen.

18 Auf stellte sich der Drache in den Sand
am Strand des Meeres.

13.

Das Tier aus dem Meer

1 Und ich erschaute aus dem Meer ein Tier,
das tauchte auf: zehn Hörner
auf sieben Köpfen,
zehn Diademe auf den Hörnern
und gotteslästerliche Namen
auf seinen Köpfen.
2 Ich sah das Tier gestaltet wie ein Panther,
mit Bärentatzen
und einem Löwenmaul.
Der Drache gab ihm seine Kraft
und seinen Thron
und große Macht aus seinem Wesen.
3 Auch sah ich, dass der Kopf zu Tode
getroffen war;
doch seine Todeswunde ward geheilt.
4 Da war die ganze Erde voll Bewunderung
im Blick auf dieses Tier.
Sie beteten den Drachen an,
weil dieser seine Wesensmacht dem Tiere gab;

und beteten zum Tier und sprachen:
Wer ist dem Tiere gleich?
Wer kann mit ihm sich messen?
5 Ihm ward ein Maul, um groß zu sprechen
und Lästerungen auszustoßen;
und es erhielt die Tiefenmacht,
zu wirken zweiundvierzig Monde.
6 Es öffnete sein Maul
zu Lästerungen gegen Gott,
zu schmähen seinen Namen und sein Zelt
und alle die im Himmel wohnen.
7 Gegeben wurde ihm, zu führen Krieg,
die Heiligen zu überwinden.
Gegeben wurde ihm die Tiefenmacht,
zu herrschen über alle Stämme,
Völker, Sprachen und Geschlechter.
8 Von allen wird es angebetet,
die auf der Erde wohnen,
von jedem, dessen Name nicht
seit jenem Niederwurf der Welt
geschrieben steht im Lebensbuch
des Lammes, das geschlachtet wurde.

9 *Wer Ohren hat, der höre!*

10 Wem Kerker ist beschieden,
wird in den Kerker kommen.
Wer mit dem Schwert getötet werden soll,
der wird auch mit dem Schwert getötet.

Hier ist Geduld gefordert und
die Glaubenskraft der Heiligen.

Das Tier aus der Erde

11 Und ich erschaute noch ein andres Tier,
das stieg herauf aus Erdentiefen.
Zwei Hörner hatte es gleich wie ein Lamm,
doch sprach es wie ein Drache.
12 Es hatte alle Macht des ersten Tieres
und zeigte sie vor ihm.
Es zwang die Erde und die auf ihr wohnen,
anzubeten
das erste Tier
mit seiner von dem Todesstoß
geheilten Wunde.

13 Und es bewirket große Zeichen: Feuer
fällt
vom Himmel auf die Erde: vor den Menschen.
14 Und es verführt
die Erdbewohner durch die Zeichen,
die es vor jenem Tiere tat.
Die Kraft ward ihm gegeben.
Es gibt den Erdbewohnern Weisung,
ein Bild vom Tier zu machen
mit seiner Wunde von dem Schwert, der Wunde,
die wieder heil geworden war.

15 Ihm wurde auch die Macht,
dem Bild des Tieres einzuhauchen Geist,
so dass es reden konnte und bewirkte:
Wer vor dem Bild des Tieres
sich nicht zu Boden warf,
der war des Todes.
16 Auch gab es Order,
dass alle Kleinen, Großen, Reichen, Armen,

Freien und Sklaven
auf ihre rechte Hand,
nach Wahl auf ihre Stirn, ein Zeichen drückten.
17 Verkaufen oder kaufen
konnte jetzt niemand mehr,
der nicht das Zeichen trug:
des Tieres Namen, oder
die Zahl des Namens.

18 *Hier*
ist Weisheit.

Der Menschengeist berechne
die Zahl des Tieres!
Denn eines Menschen Zahl ist sie.
Und seine Zahl:
Sechshundertsechsundsechzig!

14.

Das Lamm auf dem Berge Zion

1 Und ich erschaute, siehe:
Das Lamm steht auf dem Berge Zion
und mit ihm Hundertvierundvierzigtausend,
die seinen Namen und den Namen
des Vaters auf der Stirne tragen.
2 Ich hörte eine Stimme aus dem Himmel
gleich einer Stimme wie von vielen Wassern.
Es klang wie Donnerhall.
Und jene Stimme, die ich hörte,
war wie von Sängern
beim Spiel der Harfen.

3 Sie sangen
ein neues Lied vor jenem Thron,
vor den Vier Wesen,
und vor den Ältesten;
und niemand konnte dieses Lied
erlernen, außer
den Hundertvierundvierzigtausend,
befreit von Erdenbanden.
4 Sie haben sich mit Frauen nicht befleckt.
Jungfräulich rein sind sie und folgen
dem Lamm, wohin es geht.
Nur sie wurden erkauft
aus allen Menschen
als Erstlingsfrucht für Gott und für das Lamm.
5 In ihrem Mund gab es die Lüge nicht.
Sie sind ganz ohne Fehl.

Botschaften der drei Engel

6 Und ich erschaute einen andern Engel;
der flog inmitten
des Himmelsraumes,
ein ewig' Evangelium zu verkünden:
den Erdbewohnern, allen Gruppen
und Stämmen, jeder Sprache
und jedem Volk.
7 Mit lauter Stimme sprach er: Fürchtet Gott,
gebt ihm die Ehre!
Es ist die Stunde des Gerichts gekommen.
Betet den Schöpfer an
des Himmels und der Erden,
der Meere und der Wasserquellen!

8   Ein zweiter Engel folgte
    und sprach:
    gefallen ist, gefallen
    die große Babylon,
    die von dem Zornwein ihrer Unzucht
    hat trinken lassen alle Völker.

9   Ein dritter Engel folgte ihnen
    und sprach mit lauter Stimme:
    Wer betet zu dem Tier und seinem Bild,
    und wer sein Zeichen
    entgegennimmt auf Stirne oder Hand,
10 der wird den Zornwein Gottes trinken.
    Er wird ihm ungemischt
    im Zornesbecher Gottes eingeschenkt.
    In Feuer und in Schwefel
    wird er gepeinigt werden,
    vor heil'gen Engeln
    und vor dem Lamm.
11 Der Rauch aus ihrer Pein steigt auf
    durch Zeitenkreise.
    Sie haben keine Ruhe
    am Tage nicht und nicht bei Nacht,
    die jenes Tier anbeten und sein Bild
    und wer das Zeichen seines Namens trägt.

12 Die Heiligen jedoch,
    sie harren in Geduld
    und halten die Gebote Gottes
    und glauben an den Christus Jesus.
13 Und eine Stimme hörte ich,
    die aus dem Himmel zu mir sprach:
    Schreibe!

Selig sind von jetzt an alle Toten, die
im Herrn hinübergehen. Ja,
es spricht der Geist:
Sie sollen ruhen
von ihrer Mühsal;
denn ihre Werke folgen ihnen nach.

Die Ernte

14 Und ich erschaute:
Und siehe eine weiße Wolke,
und auf der Wolke
sitzt einer, der dem Menschensohne gleicht,
mit einer goldnen Krone auf dem Haupt
und einer scharfen Sichel in der Hand.
15 Und aus dem Tempel kam ein andrer Engel,
der rief mit lauter Stimme
zum Thronenden auf seiner Wolke:
Sende die Sichel, ernte,
die Stunde ist gekommen,
zu ernten.
Sie ist schon reif,
die Ernte dieser Erde!
16 Und der auf jener Wolke saß,
warf seine Sichel auf die Erde.
Und abgeerntet wurde sie,
die Erde.

17 Und wieder aus dem Himmelstempel trat
ein andrer Engel:
Auch er trug eine scharfe Sichel.
18 Und noch ein Engel kam heraus
aus dem Altarbereich,
der hatte Macht über das Feuer

und rief mit lauter Stimme
zum Engel mit der scharfen Sichel
die Worte: Schicke deine scharfe Sichel
und schneide ab die Trauben
des Weinstocks dieser Erde;
denn reif geworden sind die Beeren!
19 Der Engel warf die Sichel auf die Erde,
erntete ab den Weinstock dieser Erde
und warf die Trauben in die große Kelter
von Gottes Zorn.
20 Die Kelter
ward außerhalb der Stadt getreten;
und aus der Kelter quoll ein Blutstrom
bis an den Zaum der Pferde weit:
tausendsechshundert Stadien.

Die sieben Zornesschalen

15.

Das gläserne Meer und Gottes Tempel

1 Und ich erschaute
ein andres Zeichen, groß, ein Wunder
am Himmel: sieben Engel
mit sieben Plagen,
den letzten,
die Gottes Zorn vollenden.
2 Und ich erschaute
ein Meer von Glas, vermischt mit Feuer,
und die das Tier besiegten,
sein Bild

und seines Namens Zahl:
Sie standen
am Meer aus Glas, mit Harfen Gottes.

3 Das Lied des Mose singen sie,
des Knechtes Gottes, und
das Lied des Lammes, mit den Worten:
Groß
und voller Wunder
sind deine Werke, Herr,
Gott, du Allmächtiger!
Gerecht sind deine Wege und wahrhaftig,
König der Völker.
4 Wer wird, o Herr,
von tiefer Ehrfurcht nicht erfüllt,
nicht preisen deinen Namen?
Nur du bist heilig,
denn alle Völker werden kommen,
dich anzubeten;
denn deine Taten sind gerecht
und offenbar geworden.

5 Und weiter sah ich, wie der Tempel
geöffnet ward, der Tempel
von Gottes Zelt und Zeugnis
im Himmel.
6 Heraus traten die sieben Engel
mit sieben Plagen aus dem Tempel.
Bekleidet waren sie mit reinem Linnen,
das glänzte,
gebunden um die Brust mit goldnen Gürteln.
7 Und eines der Vier Wesen gab
den sieben Engeln sieben Schalen

mit Zorn gefüllt von Gott,
  der lebt in Ewigkeit, durch Zeitenkreise.
8 Erfüllt wurde der Tempel
  mit Rauch von Gottes Wesensoffenbarung
  und seiner Urkraftfülle.
  Doch konnte niemand in den Tempel gehen,
  bevor der sieben Engel sieben Plagen
  vollendet waren.

16.

Die Schalen des Zorns werden über die Erde geschüttet

1 Und eine laute Stimme hörte ich,
  die aus dem Tempel zu den sieben Engeln sprach,
  so gehet hin und schüttet
  die sieben Schalen
  mit Gottes Zorn über die Erde!

2 Hinweg begab der erste sich und goss,
  was in der Schale war,
  hinunter auf die Erde.
  Und ein Geschwür entstand,
  böse und leidvoll,
  an allen Menschen, die das Zeichen
  des Tieres trugen und sein Bild
  anbeteten.
3 Der zweite
  goss seine Schale in das Meer.
  Da wurde es zu Blut, als flösse es aus Toten;
  und alle Meereslebewesen starben.

4 Der dritte
 goss seine Schale in die Flüsse
 und in die Wasserquellen:
 Das Wasser wurde Blut.
5 Da hörte ich den Engel
 der Wasser sagen:
 Gerecht bist du, der ist und war,
 du heiliger, dass du gerichtet hast.
6 Blut haben sie vergossen
 von Heiligen und von Propheten, Blut
 zu trinken gabst du ihnen.
 Sie haben es verdient.
7 Dann hörte ich den Altar sprechen:
 Ja, Herr, Gott, du Allmächtiger,
 wahrhaftig und gerecht ist dein Gericht.

8 Der vierte
 goss seine Schale aus: über die Sonne.
 Es wurde ihr gegeben,
 mit Feuer
 die Menschen zu versengen.
9 Mit großer Hitze wurden sie gebrannt,
 die Menschen,
 und lästerten doch weiter
 den Namen Gottes,
 der über diese Plagen
 gebot.
 Sie wandten sich nicht um,
 die Ehre Ihm zu geben.
10 Der fünfte
 goss seine Schale aus:
 über den Thron des Tieres, und sein Reich
 wurde verfinstert.

Kapitel 16

    Und sie zerbissen sich die Zungen
    von all den Qualen.
11 Sie lästerten den Himmelsgott
    ob dieser Qual und den Geschwüren.
    An Umkehr
    dachten sie nicht.

12 Der sechste
    goss seine Schale in den großen Fluss:
    Euphrat – sein Wasser
    verdunstete. So ward bereitet
    der Weg der Könige von Sonnenaufgang.
13 Und aus dem Maul des Drachen
    und aus dem Maul des Tieres
    und aus dem Maul des falschen
    Propheten sah ich drei
    unreine Geister springen:
    Froschnaturen!
14 Es sind die Geister von Dämonen,
    die Zeichen geben
    den Königen der ganzen Erde,
    sich zu versammeln
    zum Krieg am Tage Gottes,
    des Großen und Allmächtigen.

15 *Siehe*
    ich komme wie ein Dieb.

    Selig, wer wacht und seine Kleider
    bewahrt,
    um nackend nicht zu gehen: Seine Blöße
    soll nicht gesehen werden.

16 Und sie versammelten die Könige
an einem Ort,
der heißt hebräisch Harmagedon.

17 Der siebte Engel
goss seine Schale in die Luft.
Und aus dem Tempel,
vom Thron her tönte eine Stimme
und sprach: Es ist geschehen.
18 Und es geschah.
Blitze, Stimmen, Donner!
Die Erde bebte
gewaltiglich. Niemals zuvor
seit Menschen auf der Erde wohnen,
gab es ein Beben solcher Stärke.
19 Und in drei Teile
zerfiel die große Stadt.
Die Städte aller Völker stürzten ein.
Und Babylon der Großen
gedachte man vor Gott:
Gegeben wurde ihr der Weinpokal,
der Gottes Zorn erregt.
20 Und jede Insel floh, die Berge
wurden nicht mehr gesehen.
21 Und maßlos schwerer Hagel fiel
vom Himmel auf die Menschen.

Die Menschen aber
verwünschten Gott
ob dieser überschweren Hagelplage.

17.

Die Frau auf dem Tier

1 Und einer von den sieben Engeln
   mit ihren sieben Schalen trat zu mir
   und sprach mich an: Komm her zu mir,
   ich will dir zeigen das Gericht
   über die große Hure,
   die sitzt an vielen Wassern,
2 mit der die Könige der Erde
   Unzucht getrieben haben.
   Betrunken haben sich die Erdbewohner
   von ihrem Wein der Unzucht.
3 Im Geiste brachte er mich in die Wüste.
   Und ich sah eine Frau,
   die saß auf einem scharlachroten Tier,
   das voll beschrieben war
   mit gotteslästerlichen Namen:
   Das Tier,
   es hatte sieben Köpfe und zehn Hörner.
4 Bekleidet war die Frau mit Purpur –
   und Scharlachstoffen, die mit Gold,
   Perlen und Edelsteinen
   ganz überzogen waren.
   Und einen goldnen Becher
   trug sie in ihrer Hand, der voll von Greueln war
   und Übelkeiten ihrer Unzucht.
5 Ein Name war geschrieben
   Auf ihrer Stirn,
   Geheimnis bergend: Babylon, die Große,
   die Mutter aller Unzucht
   und Greuel auf der Erde.

6 Und ich erschaute diese Frau
   betrunken von dem Blut
   der Heiligen und von dem Blut
   der Zeugen Jesu Christi:
   Für mich war es ein Wunder,
   der Anblick dieser Frau,
   ein großes Wunder.
7 Der Engel sprach zu mir: Was wundert dich?
   Ich will dir das Geheimnis sagen
   der Frau und auch des Tieres, das sie trägt,
   mit sieben Köpfen und zehn Hörnern.
8 Das Tier, das du gesehen hast: Es war.
   Es hat kein Sein.
   Doch wird es aus dem Abgrund steigen
   und dann verderben.
   Und wundern werden sich
   die auf der Erde wohnen
   und deren Name nicht
   seit jenem Niederwurf der Welt
   geschrieben steht im Buch des Lebens:
   wenn sie das Tier erblicken – dass es war,
   nicht ist und wieder da sein wird.

9 *Der Geist, er habe Weisheit.*

   Die sieben Köpfe
   sind sieben Berge.
   Drauf sitzt die Frau.
   Sie sind auch sieben Könige.
10 Fünf sind gefallen, einer
   ist gegenwärtig. Und der siebte
   ist noch nicht angekommen;
   und wenn er kommt, darf er nur kurz verweilen.

11 Und jenes Tier, das war, nicht ist,
   wird sein der achte
   und kommt doch von den Sieben:
   Es geht in sein Verderben.
12 Und die zehn Hörner, die du sahst,
   das sind zehn Könige.
   Die Herrschaft haben sie noch nicht erlangt.
   Für eine Stunde werden sie
   die Königsmacht erlangen – mit dem Tier.
13 Nur *eine* Meinung haben sie.
   Ihre Gewalt und Wesensmacht
   verleihen sie dem Tier.
14 Sie führen Krieg
   gegen das Lamm.
   Das Lamm wird sie besiegen.
   Es ist der Herr der Herren
   und König aller Könige.
   Berufen sind und auserwählt und treu,
   die mit ihm sind.

15 Und weiter sprach zu mir der Engel:
   Die Wasser,
   die du gesehen hast, wo jene Hure sitzt,
   das sind die Völker, Menschenmassen,
   die Stämme und die Sprachen.
16 Das Tier und die zehn Hörner,
   die du gesehen hast:
   Sie werden jene Hure hassen,
   verwüsten und entblößen;
   Verschlingen werden sie ihr Fleisch.
   Ins Feuer
   wird sie geworfen und verbrannt.
17 Denn Gott hat in ihr Herz gegeben,

zu folgen seinem Ratschluss
und auszuführen seinen Plan:
dem Tier die Herrschaft
zu überlassen, bis die Worte Gottes
erfüllt sein werden.
18 Und jene Frau, die du gesehen hast,
sie ist die große Stadt; und sie beherrscht
die Könige auf Erden.

18.

Der Fall Babylons

1 Dann sah ich einen andern Engel
herniedersteigen aus dem Himmel
mit großer Wesensmacht.
Die Erde wurde hell von seinem Glanz.
2 Er rief mit starker Stimme
und sprach:
Gefallen ist, gefallen,
die Große Babylon!
Sie ward zur Wohnstatt für Dämonen
und zum Gefängnis für unreine Geister
und zum Gefängnis für unreine Vögel
und zum Gefängnis für die üblen
verhassten Tiere;
3 weil von dem Zornwein ihrer Unzucht
getrunken haben alle Völker,
und weil die Könige auf Erden
mit ihr Unzucht getrieben haben,
und weil die Händler dieser Erde
durch ihre Macht und Fülle
zu Reichtum kamen.

Kapitel 18

4 Und eine andre Stimme aus dem Himmel
 hört' ich sagen:
 Geh aus, mein Volk, aus ihr,
 damit du nicht Gemeinschaft hast
 mit ihren Sünden,
 damit euch nicht die Plagen treffen;
5 denn sie hat ihre Sünden aufgehäuft
 bis an den Himmel,
 und Gott ist ihres Frevels eingedenk.
6 Vergeltet ihr wie sie euch hat vergolten
 und gebt das Doppelte verdoppelt
 nach ihren Werken.
 Füllt zweimal ihr den Becher,
 den sie für euch gefüllt!
7 Gebt ihr, so viel sie glänzt und prasst,
 an Pein und Trauer.

 Sie aber spricht in ihrem Herzen:
 Ich throne, ich, die Königin.
 Ich bin nicht Witwe;
 und Trauer bleibt mir unbekannt.

8 Doch ihre Plagen kommen
 an einem Tag:
 der Tod, die Trauer und der Hunger.
 Ins Feuer
 wird sie geworfen und verbrannt;
 denn stark ist Gott, der Herr,
 der sie gerichtet hat.

9 Und weinen werden
 und trauern über sie
 die Könige der Erde, die mit ihr

Unzucht getrieben haben und geprasst,
wenn sie den Rauch ihrer Verbrennung sehen.
10 Denn ferne stehen sie, aus Furcht
vor ihrer Qual und rufen: Wehe! Wehe!
Du große Stadt, o Babylon,
du starke Stadt, in einer Stunde
kam dein Gericht!

11 Und alle Händler dieser Erde weinen
und trauern über sie,
weil ihre Warenladung niemand kauft:
12 was sie geladen haben
an Gold und Silber, Edelsteinen, Perlen,
an feinem Linnen, Purpurstoff und Seide,
an scharlachfarbnem Tuch und Holz
von Citrusbäumen
und mancherlei Gerät aus Elfenbein
und Edelhölzern, Bronze, Eisen, Marmor
13 und Zimt und Salben, Räucherwerk,
an Myrrhe, Weihrauch, Wein und Öl
und feinem Mehl und Weizen, Rindern, Schafen,
an Pferd und Wagen, auch an Sklaven
mit Leib und Seele.

14 Und deine Früchte
der Seelengier Verlangen,
hast du verloren;
und jede Kostbarkeit und aller Glanz
fiel ab von dir – für alle Zeit
nicht mehr zu finden.

15 Und auch die Händler, die an ihr
zu Reichtum kamen:

Kapitel 18

    Sie standen fern,
    aus Furcht vor ihrer Strafen Qual.
    Weinend und trauernd riefen sie:
16 Weh! Weh! Du große Stadt,
    mit feinem Linnen eingekleidet,
    und mit Gewändern
    in Purpur und in Scharlach,
    mit Gold und Edelsteinen überzogen,
    geschmückt mit Perlen:
17 So großer Reichtum ward verwüstet
    in einer Stunde.
    Und jeder Steuermann
    und jeder Reisende, Seeleute, alle
    Fischer am Meer,
18 sie alle standen fern und riefen,
    als sie den Rauch ihrer Verbrennung sahen,
    die Worte:
    Wer glich der großen Stadt?
19 Und ihre Häupter
    bewarfen sie mit Staub
    und riefen weinend und voll Trauer
    die Worte:
    Weh! Weh! Du große Stadt,
    in der die Handelsherren reich geworden sind,
    die Schiffe auf dem Meer besaßen,
    gefüllt mit all den Kostbarkeiten:
    Verwüstet wurde sie in einer Stunde.

20 Frohlocket über sie, o Himmel,
    ihr Heiligen, Apostel und Propheten,
    weil Gott für euch die Strafe
    an ihr vollzogen hat.

Der Engel mit dem Stein

21 Da hob ein starker Engel einen Stein,
groß wie ein Mühlstein, hoch
und warf ihn in das Meer und sprach:
Mit solcher Wucht wird Babylon,
die große Stadt, niedergestreckt.
Und aufgefunden wird sie nimmermehr.

22 Kein Ton von Harfnern, Musikanten,
von Flötenspielern und Posaunenbläsern
wird jemals noch in dir gehört.
Kein Künstler und kein Handwerk ist zu finden.
Und das Geräusch der Mühle ist verstummt.

23 Es wird kein Lampenschein dich mehr erhellen;
und keine Stimmen sind zu hören
von Bräutigam und Braut.

Denn deine Händler waren
die Großen dieser Erde.
Mit deiner Zauberei verführtest du die Völker.

24 Und in der großen Stadt
fand man das Blut
von den Propheten und von Heiligen,
von allen Schlachtopfern der Erde.

19.

Lobt Gott, den Herrn!

1 Und dann hörte ich eine laute Stimme
von einer großen Schar im Himmel rufen:
Lobt Gott, den Herrn!

Das Heil, den Glanz, die Macht hat unser Gott!
2 Er ist wahrhaftig, und gerecht
ist sein Gericht.
Gerichtet hat er sie, die große Hure.
Sie hat verdorben diese Erde
mit ihrer Unzucht.
Er hat gerächt das Blut
von seinen Dienern,
das ihre Hand vergossen hat.

3 Und wieder riefen sie: Lobt Gott!

Der Rauch der Stadt steigt auf
durch alle Zeitenkreise.

4 Und nieder fielen
die vierundzwanzig Ältesten
und die Vier Wesen
und beteten zu Gott auf seinem Thron.

Sie rufen: Ja,
so soll es sein! Lobt Gott!

5 Und eine Stimme
ging aus vom Thron und sprach:
Lobt unsern Gott und all die Seinen
und die ihn fürchten,
die Kleinen und die Großen.

6 Und wieder hörte ich den Chor
und Stimmen vieler Wasser
und Stimmen lauter Donner rufen:
Lobt Gott, den Herrn!

Der Herr
hat seine Königsherrschaft angetreten,
der Allbeherrscher, Gott.
7 So lasst uns fröhlich sein und jubeln
und Ihn im Glanz verehren.
Gekommen ist die Hochzeit
des Lammes.
Und seine Braut hat sich bereitet.
8 Gegeben wurde ihr, dass sie sich kleidet
in feines Linnen, glänzend
und rein.
Das feine Linnen
zeigt an: der Heiligen gerechte Taten.

9 Er sprach mich an:
Schreibe! Selig, wer geladen
zum Hochzeitsmahl des Lammes!
Und weiter sagte er:
Das sind die Wahrheitsworte Gottes.
10 Ich fiel zu seinen Füßen nieder,
ihn anzubeten.
Er aber sprach zu mir: Dies tue nicht!
Auch ich bin nur ein Diener
wie deine Brüder mit dem Zeugnis
des Christus Jesus.
Gott bete an!
Das Zeugnis Jesu ist der Geist der Prophetie.

Der weiße Reiter: das Ende des Tiers und des falschen Propheten

11 Und ich sah.
Geöffnet war der Himmel, siehe:

ein weißes Pferd, der auf ihm saß,
wurde genannt Treu- und wahrhaftig.
Sein Urteil ist gerecht;
er richtet und führt Krieg.

12 Und seine Augen waren Feuerzungen.
Und viele Kronen
trug er auf seinem Haupt.
Sein Name stand geschrieben:
doch niemand kennt ihn – nur er selbst.

13 Und einen Mantel trug er,
der war in Blut getränkt.
Sein Name ist: Das Wort
Gottes.

14 Ihm folgte nach das Himmelsheer
auf weißen Pferden.
Gekleidet waren sie
in reines weißes Linnen.

15 Aus seinem Munde kam ein scharfes Schwert,
dass er mit ihm die Völker schlage.
Er selbst führt sie zur Weide
mit seinem Stab aus Eisen.
Er selbst
tritt jene Kelter für den Wein des Zorns
von Gott dem Allbeherrscher.

16 Am Mantel und an seinem Schenkel steht
ein Name: König
der Könige und Herr der Herren.

17 Dann sah ich einen Engel in der Sonne.
Er stand und rief mit lauter Stimme
den Vögeln,
die hoch am Himmel fliegen zu:
Kommt her,

versammelt euch zum Mahl des großen Gottes,
18 zu fressen von dem Fleisch der Könige
vom Fleisch der Mächtigen,
vom Fleisch der Starken,
vom Fleisch der Pferde,
vom Fleisch der Reiter, aller Freien
und aller Sklaven, Groß und Klein.
19 Und ich erschaute
das Tier, die Könige der Erde,
und ihre Heere,
die sie versammelt hatten, Krieg zu führen,
mit jenem Reiter hoch zu Ross
und seinem Heer.
20 Ergriffen ward das Tier und auch der falsche Prophet,
der Wunder tat vor ihm.
Sie hatten damit jene
verführt, die stets das Zeichen
des Tieres trugen und sein Bild
anbeteten. Die zwei:
sie wurden bei lebendigem Leib
geworfen in den Feuersee,
der schweflig loderte.
21 Die andern wurden mit dem Schwert getötet,
das aus dem Mund des Reiters kam,
und alle Vögel wurden satt
von ihrem Fleisch.

20.

Die Fesselung des Drachen und das tausendjährige Reich

Und ich erschaute einen Engel,
der kam herab vom Himmel, in der Hand
trug er den Schlüssel
zum Abgrund
und eine große Kette.
2 Und er ergriff den Drachen,
die alte Schlange,
und band ihn fest, den Teufel,
Satanas,
auf tausend Jahre
3 und warf ihn in den Abgrund,
schloss zu und drückte
das Siegel drauf:
Die Völker sollte er nicht mehr verführen,
bis diese tausend Jahre abgelaufen.
Dann muss er losgelassen werden
für kurze Zeit.

4 Und ich erschaute Throne
und Thronende, die sollten sitzen zu Gericht.
Ich sah die Seelen derer,
die mit dem Beil enthauptet wurden,
weil sie Jesus bezeugt
und Gottes Wort bekannten,
die auch das Tier
nicht angebetet, noch sein Bild,
und die das Zeichen
auf Stirn und Hand verweigert hatten.

Sie wurden wieder
lebendig, und sie herrschten
mit Christus tausend Jahre.
5 Die andern Toten wurden nicht lebendig,
bis jene tausend Jahre enden.

Dies ist die erste Auferstehung.

6 Selig und heilig ist,
wer teilhat an der ersten Auferstehung.
Der zweite Tod hat über sie nicht Macht.
Sie werden Priester Gottes sein
und seines Christus,
und herrschen werden sie mit ihm
die tausend Jahre.

Der letzte Kampf

7 Und wenn die tausend Jahre
vollendet sind,
wird losgelassen Satanas
aus seiner Haft.
8 Er kommt heraus, die Völker zu verführen
an den vier Ecken
der Erde, Gog und Magog
zu sammeln für den Krieg.
Und ihre Zahl ist wie der Sand des Meeres.

9 Sie stiegen auf zur Ebene der Erde
und schlossen ein das Lager
der Heiligen und die geliebte Stadt.
Und Feuer fiel vom Himmel,
das Feuer
verzehrte sie.
10 Der sie verführte,

der Teufel, wurde in den See
von Feuer und von Schwefel
geworfen,
wie vor ihm schon das Tier und auch der falsche
Prophet.
Gepeinigt werden sie nun Tag und Nacht
durch alle Zeitenkreise
der Ewigkeit.

Das Weltgericht

11 Und ich sah einen großen, weißen Thron,
und Ihn, der darauf sitzt.
Die Erde und der Himmel flohen
vor seinem Angesicht:
Kein Ort,
konnte für sie gefunden werden.
12 Und ich sah all die Toten, groß und klein;
sie standen vor dem Thron.
Und Bücher wurden aufgeschlagen
und noch ein andres Buch:
das Buch des Lebens.
Gerichtet wurden sie, die Toten,
nach dem, was in den Büchern stand
von ihren Werken.
13 Das Meer gab seine Toten
heraus,
und Tod und Hölle gaben ihre Toten
heraus.
Gerichtet wurde jeder
nach seinen Werken.
14 Und Tod und Hölle wurden
geworfen in das Feuermeer.

Das ist der zweite Tod, das Meer von Feuer.
15 Wer nicht gefunden wurde
im Buch des Lebens eingeschrieben,
der ward geworfen in das Feuermeer.

Ein neuer Himmel und eine neue Erde

21.

Die himmlische Stadt

Und ich erschaute einen neuen Himmel
und eine neue Erde.
Vergangen sind
der erste Himmel und die erste Erde.
Das Meer: Es war.
2 Und ich erschaute
die Stadt,
die heilige, das Neue
Jerusalem.
Sie stieg herab, vom Himmel her
aus Gott, bereit wie eine Braut,
geschmückt für ihren Mann.
3 Ich hörte eine laute Stimme
vom Thron her sagen: Siehe
die Wohnstadt Gottes bei den Menschen.
Er wird bei ihnen zelten.
Sie werden seine Völker sein,
und Er, der Gott, wird sein bei ihnen
ihr Gott.
4 Und jede Träne
aus ihren Augen wird er trocknen.

Kapitel 21

Der Tod wird nicht mehr sein, noch Trauer
und Wehgeschrei und Schmerzen, denn:

Das Erste ist vergangen.

5   Es sprach, der auf dem Throne saß:
    Siehe, ich mache alles neu.
    Und sprach:
    Schreibe,
    denn diese Worte sind voll Glaubenskraft
    und wahr.
6   Er sprach zu mir:
    Sie sind getan.
    Ich bin
    das A und bin das O,
    der Anfang und das Ende.
    Ich schenke
    den Dürstenden das Wasser aus der Quelle
    des Lebens.
7   Der Sieger
    wird es empfangen.
    Ich bin sein Gott; er ist mein Sohn.
8   Die aber feige sind und ohne Treue,
    die Schandbedeckten und die Mörder,
    die Unzuchttreibenden,
    die Zauberer und Götzendiener
    und alle Lügner
    sie haben ihren Teil im Feuermeer,
    im Schwefelpfuhl:
    Das ist der zweite Tod.

9   Und es kam einer von den sieben Engeln,
    mit ihren sieben Schalen, voll

der sieben Plagen,
und sprach mich an und sagte:
Komm her, ich will dir zeigen
die Braut, die Frau des Lammes.
10 Im Geiste trug er mich
auf einen großen, hohen Berg
und zeigte mir die heil'ge Stadt:
die Stadt des Friedens.
Sie kam herab, vom Himmel her,
aus Gott.
11 In Gottes Glanz erstrahlte sie,
in einem Lichtschein wie von Edelsteinen,
wie von Kristall, wie Jaspis.
12 Umgeben war sie
von einer starken, hohen Mauer;
zwölf Tore hatte sie, darauf zwölf Engel.
Und angeschrieben waren
die Namen der zwölf Stämme
der Söhne Israels.
13 Drei Tore waren ausgerichtet
nach Sonnenaufgang, drei nach Norden,
und drei nach Süden, drei
nach Sonnenuntergang.
14 Die Mauer jener Stadt
stand festgegründet auf zwölf Steinen,
und eingeschrieben waren die zwölf Namen
der zwölf Apostel
des Lammes.
15 Der mit mir sprach, hatte als Maß
ein goldnes Rohr, um zu vermessen
die Stadt, die Tore und die Mauer.
16 Im Viereck war die Stadt gebaut,
so lang wie breit.

17 Und er vermaß die Stadt mit seinem Rohr:
die Länge war zwölftausend Stadien,
von gleichem Maß die Breite und die Höhe.
Er maß die Mauer
auf hundertvierundvierzig Ellen,
nach Menschenmaß, gleich dem des Engels.
18 Die Mauer war gebaut aus Jaspis,
die Stadt aus reinem Gold, gleich reinem Glas.
19 Die Grundsteine der Mauer jener Stadt
waren geschmückt mit Edelsteinen:
Der erste Grundstein ist ein Jaspis,
der zweite ein Saphir,
der dritte Chalzedon,
der vierte ein Smaragd,
20 der fünfte Sardonix,
der sechste Karneol,
der siebte Chrysolith,
der achte ein Beryll,
der neunte ein Topas,
der zehnte Chrysopras,
der elfte Hyazinth,
der zwölfte Amethyst.
21 Und die zwölf Tore waren
zwölf Perlen.
Ein jedes Tor bestand aus einer Perle.
Die Straße jener Stadt war reines Gold,
wie Glas: durchsichtig.
22 Und einen Tempel sah ich nicht in ihr;
denn Gott, der Herr,
der Allbeherrscher ist
ihr Tempel, und das Lamm.
23 Die Stadt bedarf des Scheins der Sonne nicht
und nicht des Mondes.

Von Gottes Herrlichkeit ist sie erleuchtet.
Und ihre Leuchte ist das Lamm.
24 In ihrem Lichte wandeln
die Völker.
Die Könige der Erde:
sie tragen ihren Glanz hinein.
25 Und ihre Tore werden
am Tage nicht geschlossen; Nacht
ist nicht.
26 Der Völker Ruhm und Ehre wird
ins Innere getragen.
27 Unrat kommt nicht hinein,
kein Übeltäter und kein Lügner;
nur wer geschrieben steht
im Lebensbuch des Lammes.

22.

Der Baum des Lebens

Er zeigte mir den Strom des Lebenswassers;
der glänzte wie Kristall
und floss von Gottes und des Lammes Thron
inmitten ihrer breiten Straße.
2 An beiden Ufern stand
der Baum des Lebens,
der zwölfmal Früchte trägt:
Sie reifen jeden Monat.
Die Blätter jenes Baumes bringen
den Völkern Heilung.
3 Kein Bannfluch mehr!
In ihr wird sein
des Gottes und des Lammes Thron.

KAPITEL 22

4 Die Seinen dienen Ihm und schauen
Sein Angesicht.
Sein Name steht auf ihrer Stirn.
5 Und Nacht wird nicht mehr sein.
Sie brauchen nicht das Licht
der Lampe und der Sonne, weil der Herr,
Gott, über sie wird leuchten.
Und herrschen werden sie
von Ewigkeit in alle Ewigkeiten.

6 Und dann sprach er zu mir:
Voll Glaubenskraft und wahr sind diese Worte.
Der Herr, der Gott der Geister der Propheten,
hat seinen Engel
gesandt, zu zeigen seinen Dienern
was bald geschehen muss.

7 *Und siehe,*
ich komme bald.
Selig, wer die Worte
der Weisung in dem Buch bewahrt.

8 Und ich,
ich bin Johannes,
der dies gehört hat und geschaut.
Und als ich es gesehen und gehört,
fiel ich zu Füßen
des Engels nieder, der es mir gezeigt,
ihn anzubeten.

9 Er aber spricht zu mir:
Dies tue nicht!
Ich bin wie du ein Diener

und Mitknecht deiner Brüder, der Propheten
und derer, die bewahren
die Worte dieses Buches. Bete
zu Gott.
10 Und dann sprach er zu mir: Versiegle nicht
die Worte
der Prophetie in diesem Buch.
Denn nahe ist die hohe Zeit.

11 Wer Unrecht tut, wird weiter Unrecht tun.
Wer sich besudelt, ist und bleibt besudelt.
Und der Gerechte sei gerecht,
wer aber heilig ist, der heilige sich weiter.

12 *Siehe,*
ich komme bald,
der Lohn mit mir:
zu geben jedem
nach seinen Werken.
13 Ich bin
das A und O, der Erste und der Letzte,
der Anfang und das Ende.

14 Selig sind, die ihre Kleider
reinigen:
Sie haben Wesensmacht vom Baum des Lebens
und gehen durch die Tore dieser Stadt.
15 Und draußen bleiben:
Gottlose, Zauberer,
die Unzuchttreibenden und Mörder,
die Götzendiener und die Lügner.

Epilog

16 Ich, Jesus, sandte meinen Engel,
   der dies für die Gemeinden
   bezeuge.
   Ich bin die Wurzel, das Geschlecht
   Davids, der Morgenstern im Glanz.

17 Der Geist, die Braut, sie sagen beide:
   Komm!
   Wer's hört, der sage: Komm!

   Wer Durst hat, komme.
   Wer will, dem schenke ich vom Lebenswasser.

18 Und ich bezeuge allen, die es hören,
   die Worte
   der Prophetie in diesem Buch.
   Fügt jemand etwas an,
   wird Gott ihm jene Plagen senden,
   die in dem Buch verzeichnet sind.
19 Nimmt jemand etwas weg,
   vom Wort der Prophetie in diesem Buch,
   wird Gott ihm seinen Anteil nehmen
   am Baum des Lebens
   und an der heil'gen Stadt,
   von der in diesem Buch geschrieben steht.

20 Es spricht, der dies bezeugt:
   Ja,
   ich komme bald.

Es sei!
Ja, komm, Herr Jesus!

21 Des Herren Jesu Gnade
sei mit euch allen!

*Albrecht Dürer: Johannes verschlingt das Buch.
Holzschnitt, vor 1498, Ausschnitt. Apokalypsezyklus,
Nürnberg 1498*

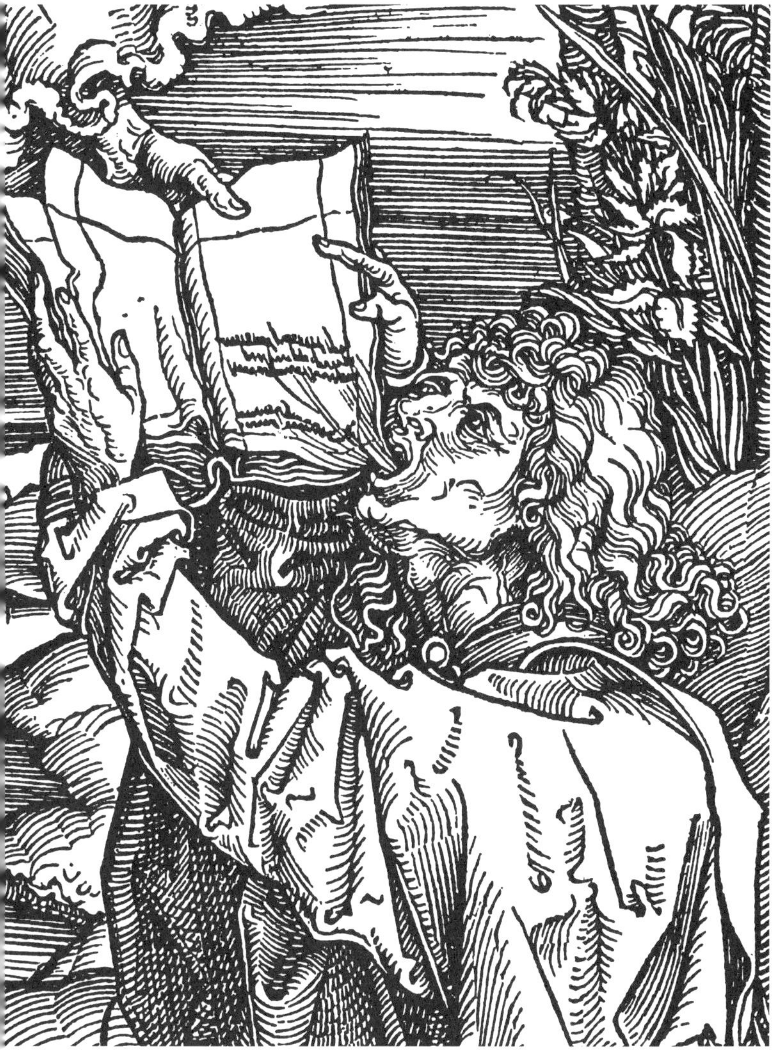

2. Teil

Betrachtungen zur Apokalypse

Der Verfasser

Die Apokalypse des Johannes wurde nach Justin (um 150), Irenaeus von Lyon (2. Jh.)[1] und Clemens von Alexandrien (um 200) von Johannes dem Evangelisten, dem Alten in Ephesus, um das Jahr 95 niedergeschrieben.[2] Die zahlreichen Versuche, dem Evangelisten die Verfasserschaft abzusprechen, sind nicht überzeugend.[3] Es gibt genügend Hinweise, die auf den gleichen Verfasser deuten, beispielsweise: das Wort Gottes (Logos), das Ich-bin, das Lamm,[4] die Bedeutung der Zeugen und des Bezeugens, das lebendige Wasser, die Wiederkunft Christi, gnostisch-dualistische Stilzüge, der Weg durch sieben Stufen und das Denken der Trinität. Eine beeindruckende Fülle von Gemeinsamkeiten hat Otto Böcher zusammengestellt.[5]

Vor allem aber besteht ein innerer, geistiger und damit unlösbarer Zusammenhang zwischen der Schau der apokalyptischen Bilder der Zerstörung und dem Verkünden des «Gebots der Liebe» im Evangelium und im großen Brief. Das Wort des Johannes, das er am Ende seines Lebens immer wieder wie ein Vermächtnis gesprochen hat, «Kinder, liebet einander!», kann in seiner Tiefendimension nur auf dem Hintergrund der Apokalypse verstanden werden. Die johanneischen Schriften sind der Ausdruck innersten Erlebens des göttlichen Wortes, das – wie Johannes sagt – «ins Fleisch gekommen», gestorben und auferstanden ist – und «auf Wolken» wiederkehrt.

Die Apokalypse weist sprachlich einige Besonderheiten auf,[6] die zum Teil als Fehler bezeichnet werden und die im Evangelium so nicht auftreten: Das deutet jedenfalls nicht auf zwei Verfasser. Es mag seine Erklärung darin finden, dass Johannes die Apokalypse eigenhändig niedergeschrieben hat.[7] Das Evangelium wird er einige Jahre später einem Schüler diktiert haben, dessen Muttersprache Griechisch war. Dass Johannes diktiert hat, ist altüberliefert. Der Name des Schreibers lautet in legendarischer Überlieferung Prochoros.[8]

Johannes, der Sohn des Zebedäus, kommt als Verfasser allerdings nicht in Frage, wohl aber der Presbyter in Ephesus (den Papias von Hierapolis erwähnt),[9] der geliebte Jünger, der beim letzten Abendmahl an der Brust des Herrn lag und unter dem Kreuz stand.[10] «Apostolische Würde» darf Johannes zuerkannt werden, auch wenn er – wie Paulus – nicht zum Kreis der Zwölf gehört, nachdem ihm der erhöhte Christus erschienen ist und von ihm als der eigentliche Autor bezeichnet wird: Es ist die «Offenbarung Jesu Christi». Er selbst nennt sich nicht Apostel, sondern Prophet.

So gesehen ist Johannes der Schreiber. Er hat aufgeschrieben, was er gehört hat. Seine schöpferische Leistung ist darum nicht geringer. Als Verfasser verantwortet er die kunstreiche Sprach- und Bildgestalt der Offenbarung mit ihren zahlreichen Bezügen zur Tradition der jüdischen Apokalyptik.

Die Wirklichkeit der Offenbarung und wie man sie erreicht

Die durch den Seher Johannes vermittelte Offenbarung ist in ihrer Bilderfolge ein Entwurf der Menschheitszukunft. Insofern die Zukunft die jeweilige Gegenwart ist, oder schon Vergangenheit, hat es zu allen Zeiten Versuche gegeben, die Bilder auf historische Personen und Ereignisse zu beziehen. Babylon sei Rom. Doch ist solch Unterfangen dem Geist der Apokalypse wesensfremd. Die ganze Menschheitsgeschichte ist von apokalyptischen Ereignissen erfüllt. Sie werden verständlich durch den prophetischen Blick auf die Endzeit, von der Johannes berichtet. Von seiner eigenen Umwelt geht er aus: in den Sendschreiben an die Engel der sieben Gemeinden. Anspielungen auf die Zeitgeschichte treten aber gegenüber der menschheitlichen Orientierung in den Hintergrund.

Wer die Bilderfolge nicht nur verstandesmäßig liest, sondern meditativ auf sich wirken lässt, bemerkt als Grundzug Bild, Wort und Wesen göttlichen Geistes. Zwar gibt es Spiegelungen; und was sein wird, ist schon jetzt und in der Ankündigung schon gewesen; aber entscheidend ist die geistige Wirklichkeit. Hinweise auf Kaiser Nero oder Pest- und Kriegskatastrophen verfehlen die Tiefendimension des Buches. Der Autor war ein Christuseingeweihter. Christus ist die Hauptperson des Buches, genauer: seine Wiederkehr auf ätherischer Seinsebene.

Dass sich in früheren Apokalypsen und apokalyptischen Schilderungen ähnliche Bilder finden, heißt nicht, dass Johannes abgeschrieben und aus Versatzstücken etwas Neues konzipiert und redigiert hat, sondern dass verschiedene Seher zu verschiedenen Zeiten Zugang zur gleichen Wirklichkeit hatten.[11] Quellenstudium ist darum nicht unwichtig; denn der Verfasser kannte die ältere Literatur und hat sie verarbeitet. Aber die geistige Wirklichkeit der Schauungen des Johannes wird durch Zitatnachweise nicht berührt.

Der Zugang zur geistigen Wirklichkeit wird eröffnet durch Tugendübung. Davon ist in den sieben Briefen Christi an die Engel der sieben Gemeinden die Rede. Danach sind zwölf Tugenden zu üben:

Geduld und Rückwendung zum Ursprung (Ephesus),
Erwerb geistigen Reichtums und innere Treue (Smyrna),
Standhaftigkeit und Bekennermut (Pergamon),
Helferwille und Wahrung der Werte (Thyatira),
Unterscheidung des Ewigen vom Vergänglichen und Wachsamkeit (Sardes),
Christi Wort bewahren und der Versuchung widerstehen (Philadelphia).

Wer die zwölf Tugenden übt, erhält von Christus «im Feuer geläutertes Gold», weiße Kleider und die Kraft zur geistigen Schau (Laodicea).

Der Erkenntnisblick des Menschen ist an die Sinneswirklichkeit gebunden. Darum mahnte Johannes der Täufer: «Wendet euern Sinn!» Und darum heißt es auch in den sieben Briefen Christi, die der Seher Johannes vermittelt hat: «Gedenke der ersten Werke» (Ephesus), «Kehr um» (Pergamon), «denke um» (Thyatira, Laodicea), «wer überwindet» (Smyrna, Sardes, Philadelphia). Wer sich vom sinnlichen Sehen zur geistigen Schau wendet, wird selig.[12]

Die Seligkeit wird von Johannes siebenfach differenziert. Selig ist,
1. wer die Offenbarung vorliest und sie hört (1, 3), denn er gewinnt dadurch die innere Orientierung;
2. wer in Christus stirbt, denn er wird leben (14, 13);
3. wer wacht und seine Seelenhüllen (Kleider) rein erhält (16, 15);
4. wer zum Hochzeitsmahl des Lammes geladen ist (19, 9), denn er wird durch Vereinigung mit dem Christus Teilhaber an der Verwandlung der Welt, die durch das Ereignis von Golgatha begonnen hat.
5. wer an der ersten Auferstehung teilhat (20, 6), denn er ist heilig und über ihn hat der zweite Tod – der Seelentod – keine Macht;
6. wer die Worte der Weisung im Buch der Offenbarung bewahrt (22, 7), denn es sind Worte ewigen Lebens (Christus ist der Lebendige);
7. wer seine Leibeshüllen (Kleider) bis in die Physis reinigt, denn damit erwirbt er sich das Anrecht auf den Baum des Lebens und den Zutritt zur Neuen Stadt (22, 14).

Damit erscheint in der Schau des Johannes der Mensch als siebengliedrige Wesenheit – auf dem Weg der Vergeistigung, auf dem der Geist als Wirklichkeit erfahren wird.

Der unsichtbare Gott

Die Apokalypse ist zwar die Offenbarung Jesu Christi. Sie wurde ihm aber, wie es in der Einleitung heißt, von Gott gegeben, seinem Vater (1, 6).[13] Der Vatergott ist der Urgrund von allem, was ist. Er ist das Sein selbst und der Schöpfer des Seienden, «des Himmels und der Erden, / der Meere und der Wasserquellen» (14, 7).[14] Nur er kann – durch den Logos – die Geschichte enthüllen, weil er Vergangenheit und Zukunft umgreift (1, 4). Gott ist der ewig Lebende (4, 9).

Die Apokalypse war wohl ursprünglich ein Rundbrief an die sieben Gemeinden der Asia. Deshalb steht als Begrüßung die Bitte um Gnade und Frieden Gottes. Die Diener Gottes – einhundertvierundvierzigtausend – werden mit dem Siegel Gottes gezeichnet (7, 3 f.). Die Anhänger der großen Babylon trifft am Ende der Zorn Gottes. Aber er handelt nicht selbst, sondern durch Christus, den Sohn, und seine Engel.

Ernst Lohmeyer hat darauf aufmerksam gemacht, dass der Thronende und der Thron in der Apokalypse nahezu identisch werden, wenn es sich um den Vatergott handelt. Gesehen wird nicht Gott, sondern sein Thron. Darum heißt es bei der Versiegelung der Erwählten nicht: Sie standen vor Gott und dem Lamm, sondern: Sie standen «vor dem Thron und vor dem Lamm». Der Thronende ist in diesem Zusammenhang nicht Christus, sondern Gott, denn es heißt weiter:

> Die Rettung kommt von unserm Gott,
> dem Thronenden,
> und von dem Lamm. (7, 10)

Niemand hat jemals Gott gesehen.[15] Auch Johannes spricht nur vom Thron Gottes und dem, der darauf sitzt (4, 3). Er kann den Thronenden nicht beschreiben, im Unterschied zum thronenden Christus als Menschensohn in der Leuchtervision (c. 1). Er spricht nur vergleichsweise von Jaspis und Karneol. Es ist nicht unwichtig, dass er den Vergleich aus dem Mineralreich wählt. Gott ruht in sich. Er ist unbewegt: der «unbewegte Beweger» (Aristoteles). Christus dagegen jagt auf weißem Pferd über den Himmel (19, 11 ff.). Auch thronend in der Leuchtervision legt er seine Rechte auf Johannes. Nur ganz am Ende thront er wie der Vater in sich ruhend zum Weltgericht (20, 11). Als «der Herr» werden beide bezeichnet: Vater und Sohn.

Christus: das Lamm
(Gottessohn und Menschensohn)

Die Apokalypse des Johannes ist als «Offenbarung Jesu Christi» das «ewige Evangelium» (14, 6). Es ist die Offenbarung des «Ich bin». «Ich bin das A und O», spricht Christus, der als Logos im Anfang war und am Ende als Weltenrichter thronen wird. Johannes zitiert das Logion am Anfang und am Ende des Buches (1, 1. 22, 13). Am Anfang betont er – wie im Evangelium – die Einheit mit dem Vatergott (1, 8). Das Evangelium des Johannes nennt sieben Ich-bin-Worte. Das Ich-bin ist Wort Gottes: der Logos, der auf Erden Christus genannt wird.[16] In der ersten Vision der Apokalypse wird das Bild Christi mit zehn Aussagen beschrieben:

> Seine Gestalt gleicht dem Sohn des Menschen.
> Sein Gewand ist bodenlang,
> zugehalten von einem goldenen Gürtel.
> Er hat weißes Haupthaar, wie Wolle, wie Schnee,
> flammende Augen
> und Füße wie von glühendem Golderz.
> Seine Stimme klingt wie Wasserrauschen.
> Christus trägt in seiner Rechten sieben Sterne.
> Aus seinem Mund kommt ein zweischneidiges
>   Schwert,
> und sein Antlitz strahlt wie die Sonne.

Mit diesem Bild erkennt Johannes den Christus imaginativ. Seine Imagination erfolgt aber nicht unter, sondern über der Verstandesebene; denn die Schau steigt auf von der an der Sinneswahrnehmung orientierten Imagination über die elementarisch-seelische Ebene zur kosmisch-geistigen Wirklichkeit. Von der dreifachen Wirklichkeit des Bildes überwältigt, fällt der Seher zu Boden, und der Christus legt seine Hand auf ihn. Die Berührung ist noch kein Einssein, deutet noch nicht auf unio mystica, verleiht aber den folgenden Worten Christi die unumstößliche Sicherheit inspirierter Erkenntnis. Das «Fürchte dich nicht» wirkt unmittelbar. Dann charakterisiert sich der Auferstandene selbst als

 der Erste und der Letzte,
 der Lebendige,
 der Ewige
 und als Erlöser (mit dem Schlüssel zu Tod und Hölle).

Der Erste und der Letzte, der Lebendige und der Ewige ist der Sohn in Eins mit dem Vater. Erlöser ist er allein: der Menschensohn als Gottes Ebenbild. Schließlich erteilt er den Auftrag: «Schreibe», und deutet dem Seher die Leuchtervision: die sieben Sterne als die sieben Engel und die sieben Leuchter als die sieben Gemeinden, an die er nun über seinen Schreiber das Wort richtet.

Teilweise taucht die Beschreibung Christi wieder auf in den Sendschreiben an die Engel der sieben Gemeinden. Jeder Gemeinde stellt sich der Christus vor mit einem Teil seines Wesens: Er gebietet den sieben Engeln der sieben Gemeinden. Von ihm geht das wahre Leben aus (Ephesus), er ist der Erste und der Letzte (Smyrna), der das zweischneidige Schwert führt (Pergamon). Seine Augen sind wie Feuer und seine Füße wie Golderz (Thyatira). Er hat die sieben Geister Gottes um sich (Sardes) und kann alle Türen öffnen und schließen (Philadelphia). Er ist der treue und wahrhaftige Zeuge (Laodicea).

Wie im Evangelium des Johannes ist Christus auch in der Apokalypse wahrer Gott und wahrer Mensch. Er thront als König der Könige und ist zugleich auch Priester. Sein Thron ist Gottes Thron. Er thront und herrscht gleich dem Vater und mit dem Vater (7, 17. 21, 5 f. 22, 1. 3). Christus ist die Wurzel und das Geschlecht Davids; und er wird genannt «der Morgenstern im Glanz» (22, 16).

Im Evangelium hat Johannes zum Ausdruck gebracht, dass Gott die Gerichtsbarkeit an den Sohn übergeben hat (Jo 5, 22-24), in der Apokalypse beschreibt er, wie der Sohn, als das Lamm, der weiße Reiter und der Thronende, Gericht hält und das Urteil vollstreckt (20, 11 ff.). Schon zuvor hat Gott ihm das Buch mit den sieben Siegeln übergeben, das nur Er entsiegeln kann (c. 5).

Im Besonderen ist er aber – wie im Evangelium – das Wort, das im Anfang war (3, 14), ist und sein wird. Er ist das Lamm, das geschlachtet wurde (5, 6), auferstanden ist – und «in den Wolken» wiederkehrt. Eine Wolke ist sein Thron (14, 14). Er ist der Kommende, aber seine ätherische Wiederkehr erfolgt unverhofft: «Wie ein Dieb» wird er kommen (3, 3 und 16, 15). Das Studium der Apokalypse wirkt wie ein Weckruf zur Schau.

Der Christus heißt Jesus, der Retter (22, 16). Jesus ist Christus – der Gesalbte. Er ist der Herr (14, 13), in dem zu sterben Leben bedeutet.[17] Er ist der wahre König und damit «König der Könige und Herr der Herren» (17, 14. 19, 16). Er ist nicht nur Menschensohn als Gottes Ebenbild (1, 13. 14, 14), sondern zugleich auch Gottessohn (2, 18). Vor allem ist er aber das Lamm, das «Lamm auf dem Berge Zion» (14, 1); und dafür verwendet Johannes das ihm eigene Wort ‹arníon›. Das Lamm ist der Sohn, mit dem Gott die Welt erschaffen hat. Das Lamm wurde auf Golgatha geschlachtet, am Kreuz erhöht und eröffnet mit seiner Inthronisation (c. 5) nun die Apokalypse. Am Ende erscheint Christus als Weltenrichter. Wie Gott dem Sohn die Schöpfung übertragen hat, so nun das Gericht.

Das Erdenleben Christi wird nicht erwähnt. Geburt und Entrückung zu Gott werden zwar geschildert (c. 12); aber der Vorgang ist kosmisch und eschatologisch gesehen. Es handelt sich um eine Geistgeburt. Die Erdenwelt ist ausgeblendet – was der tatsächlich erfolgten Geburt auf Erden, wie sie Lukas schildert, nicht widerspricht. Im Gegenteil: Die Apokalypse setzt durchgängig Inkarnation, Tod und Auferstehung Christi voraus. Danach ist er der Kommende. Wenn er sagt «Ich komme bald», so gilt dies damals wie heute und in Zukunft. Wann immer der Satz gelesen wird: die Ankunft steht bevor und kann sich *schon jetzt* ereignen. Denn er ist bei uns alle Tage.[18] Davon unabhängig wird er auch am Ende der Zeiten erscheinen.

Christus ist der Heilige, Wahrhaftige (3, 7) und Treue (3, 14), der Zeuge (1, 5) der Menschheitsentwicklung vor Gott; denn er ist Anfang und Ende der Schöpfung (22, 13). In der Parusie reitet Christus auf einem weißen Pferd (19, 11 ff.). Sein Name ist auch am Ende «Treu und wahrhaftig», und aus seinem Mund kommt das zweischneidige Schwert der Unterscheidung. Ein ganzes Heer weißer Reiter folgt ihm. In der Parusie richtet er und führt Krieg (19, 11). Von ihm geht aber auch das Wasser ewigen Lebens aus (21, 6); denn er *ist* das Leben.[19] Sein wahrer Name – neben den vielen Namen, die er führt – heißt «Wort Gottes», ein Name, den aber niemand kennt. Wer das Wort Gottes kennen will, muss Wort Gottes werden.[20]

Die Wirksamkeit des Geistes

Johannes denkt Gott als den Einen, aber in drei Personen. Auch der Geist wird personal gedacht.[21] Im Evangelium trägt er den Namen Paraklet – Helfer. Der Name findet sich in der Apokalypse noch nicht. Aber seine Wirksamkeit wird entsprechend beschrieben.

Der Geist ist ewig wie Vater und Sohn. Unter Menschen unmittelbar wirksam ist er jedoch erst seit seiner Sendung zu Pfingsten, von der Lukas in den «Taten der Apostel» berichtet. Darum sagt Origenes von den alten Philosophen: Sie hatten einen Begriff von Vater und Sohn (Logos), nicht jedoch vom heiligen Geist (Pneuma). Der heilige Geist ermöglicht im Blick auf die Inkarnation ein neues Verständnis von Sohn und Vater. Der Geist ist für die Menschen der «Helfer» oder «Tröster» (Luther). Er kann aber nur helfen unter der Voraussetzung der Freiheit des Ich, die vor der Erhöhung des Kreuzes auf Golgatha so nicht gegeben war: Das Ich muss sich von sich aus umwenden, damit der Geist wirken kann. Von dieser Umwendung spricht der Geist zu den sieben Freundeskreisen (Gemeinden).

Johannes erfährt die Wirksamkeit des Geistes zunächst über den Engel. Der Engel gibt ihm Kunde von der Offenbarung Jesu Christi (1, 1). Denn der Geist spricht nur, «was er hört» – vom Sohn und vom Vater.[22] Letztlich stammt die Kunde des Geistes von Gott, mit dem er eines Wesens ist.

Der Engel ist nicht der Geist. Aber er repräsentiert den Geist, so dass die Apokalypse mit Bezug auf die göttliche Trinität eröffnet wird. Johannes empfängt die Kunde und bezeugt sie. Die Apokalypse ist wie das Evangelium Kunde des Geistes, des «Geistes der Prophetie» (19, 10). Weil Johannes durch Christus zum Verstehen des Anfangs geführt wurde, konnte ihm der Geist den Blick auf das Ende gewähren.

Zu den Aufgaben des Geistes gehört nach Johannes die Belehrung.[23] Das wird in den sieben Sendschreiben an die sieben Gemeinden siebenmal hervorgehoben:

> Wer Ohren hat, der höre, was der Geist
> sagt den Gemeinden!

Darüber hinaus wirkt der Geist in der Apokalypse indirekt als Geist der Wahrheit: Er erinnert den Anfang, bezeugt und verklärt den Sohn; er überführt die Welt der Sünde und erhebt Anklage vor Gott.[24] Er ist der große Helfer in der Erkenntnis des Bösen. Die Umwendung muss im Menschen selbst erfolgen: im innersten Ich. Im innersten Ich offenbart sich der Geist als Liebe: als Liebe zu Gott und seinem Lamm.

Der Heilige Geist bewirkt als Prinzip der göttlichen Liebe die große Einung am Ende der Menschheitsgeschichte, nachdem die Scheidung der Geister erfolgt ist:

> Der Geist und auch die Braut, sie sagen beide:
> Komm!

Das dreifache Böse

Gott ist der Eine-Gute. Er wird von Johannes dreipersonal gedacht als Vater, Sohn und heiliger Geist. Dementsprechend tritt in der Apokalypse das Böse und Widergöttliche in dreifacher Gestalt auf: als geflügelter Drache in den Lüften, als Tier aus dem Wasser und als Tier aus der Erde. Diese abartige Dreiheit stellt sich der göttlichen Trinität entgegen und versucht unablässig, die – nach Gottes Bild geschaffene – dreifache Leiblichkeit des Menschen zu verderben. Der Drache tritt als Versucher im Seelenleib auf; das Tier aus dem Wasser wirkt auf die Lebenskräfteorganisation; das Tier, das aus den Erdentiefen aufsteigt, zerstört die geistige Form des physischen Leibes, so dass der Mensch in der Materie versinkt. Gemeinsam wollen die beiden Tiere das Auferstehungsleben, das auf Golgatha begonnen hat, für den Menschen unwirksam machen. Aber das Lamm wird siegen. Den Endkampf zeigt die Johannesapokalypse.

Der Drache

Der Drache heißt auch «die alte Schlange, Teufel und Satan». Damit ist er selbst als dreifach wirksam charakterisiert. Er ist das umfassend Eine-Böse, das gegen das umfassend Eine-Gute steht. Die Schlange heißt in der Bibel Luzifer, der Lichtträger; Satan war ursprünglich nur der Gegner; er entspricht dem persischen Ahriman, der als Herr der Finsternis wirkt; und der Teufel ist ein Mischwesen, das den Doppelaspekt des Bösen, wie er durch Luzifer und Ahriman zum

Ausdruck kommt, in sich zur Steigerung bringt: als der Antichrist.

Weil er in sich das dreifache Böse verkörpert, darum muss der Drache auch dreimal besiegt werden. Er wird zuerst gestürzt, vom Himmel auf die Erde geworfen (12, 9), dann gefesselt und für tausend Jahre in den Abgrund gesperrt (20, 2 f.) und zuletzt, nach dem Endkampf, ins Feuermeer geworfen (20, 10), wo sich die beiden Tiere schon befinden.

Wenn er einseitig wirkt, ist das Element des Drachen die Luft.[25] Er kommt aus der Luft auf die Erde. Dem Element der Luft entspricht im Menschen die seelische Organisation. Insofern ist der Drache der Verführer der Seelen.

In seiner Seelennatur ist der Drache geistverwandt. Aber als gestürzter Engel ist er der Gegen-Geist. Sein ganzes Bestreben zielt darauf ab, den Heiligen Geist nicht wirksam werden zu lassen. Seine Gegengeistigkeit zeigt sich deutlich in seiner Rolle als Ankläger vor Gott (12, 10); denn Ankläger ist auch der Heilige Geist.[26]

Der Drache hat eine besondere Beziehung zur Sternenwelt. Mit seinem Schwanz fegt er den dritten Teil der Sterne vom Himmel hinweg und wirft sie auf die Erde (12,4). Er verfolgt die himmlische Frau, Maria aeterna,

> bekleidet mit der Sonne,
> den Mond zu ihren Füßen
> und eine Krone von zwölf Sternen
> auf ihrem Haupt.

Die Sternenjungfrau ist schwanger. Der Drache verfolgt sie, weil er es vor allem auf ihr Kind abgesehen hat, den Retter der bedrohten Menschheit. Aber das Kind wird zu Gott entrückt; und für die Frau gibt es einen Wüsten-Ort, wo sie vor dem Drachen geschützt ist. Als Gegner des Kindes wirkt der Drache als Antichrist.

In diesem Zusammenhang wird von Johannes der Kampf Michaels mit dem Drachen geschildert. Beide haben Mitkämpfer. Und der Drache wird samt seinen Scharen vom Himmel auf die Erde geworfen:

> Gestürzt ward er, der große Drache,
> die alte Schlange, die man Teufel nennt,
> und Satan auch, der alle Welt verführt.
> Er wurde auf die Erde
> geworfen.
> Und seine Engel wurden
> mit ihm hinabgeworfen.

Die Himmelsbewohner frohlocken; denn aus dem Himmel ist er verbannt. Aber nun entfaltet er seine unheilvolle Wirksamkeit auf der Erde. Die Menschen müssen sich vermehrt mit ihm auseinandersetzen. Michael hat im Kampf gesiegt. Aber er hat den Drachen nicht getötet. Ob die Menschen siegen, ist ungewiss. Die Apokalypse zeigt: einige werden überwinden, andere werden unterliegen, vor allem, weil sie zusätzlich noch den beiden Nahverwandten des Drachen ausgesetzt sind: den beiden Tieren.

> Er stieg herab zu euch, der Teufel.

Aus dem Meer und aus der Erde wird der Drache gleichsam wiedergeboren. Er taucht auf als Tier aus dem Meer und als Tier aus der Erde und wirkt nun im Doppelaspekt – als Teufel und Satan – auf die Erdbewohner.

Johannes betont die Verwandtschaft: Das Tier aus dem Meer sieht dem Drachen mit seinen sieben Köpfen recht ähnlich; und das Tier aus der Erde «spricht wie ein Drache».

Das Tier aus dem Meer

Wie der Drache, so hat auch das Tier aus dem Meer zehn Hörner auf sieben Köpfen. Aber es trägt zehn Diademe (Kronen) auf den zehn Hörnern. Der Drache hat nur sieben Diademe auf seinen sieben Köpfen.

Der Drache ist ein schlangenartiges Ungeheuer, während das Tier ein Mischwesen ist: zusammengesetzt aus Panther, Bär und Löwe. Es taucht aus dem Meer auf und kann darum seine Macht vor allem im Bereich der menschlichen Lebenskräfte entfalten; denn Wasser bedeutet Leben.

Das wahre Leben ist Christus. Dagegen steht das Tier aus dem Meer. Insofern wirkt es als Antichrist. Es handelt in Einheit mit dem falschen Propheten, wie Christus in Einheit mit dem Vatergott.

Das Tier aus dem Meer spielt auf Erden die Hauptrolle; denn der Drache «gab ihm seine Kraft und seinen Thron und große Macht aus seinem Wesen». Das Tier ist mit Hilfe des Drachen Herrscher auf Erden. Und die Menschen beten zu beiden: zum Herrscher und zu dem, der ihn inthronisiert hat. Wenn sie sagen: «Wer ist dem Tiere gleich?», so ist dies die Verkehrung des Namens Michael: «Wer ist Gott gleich?»

Auf diesem Tier reitet die Frau mit Namen Babylon die Große, die «Mutter aller Unzucht», in der die Laster der großen Stadt repräsentiert sind.

Von diesem Tier heißt es, dass es kein Sein hat. Es war, aber ist nicht, weil es die Acht darstellt, die von der Sieben kommt: Es müsste zur Eins werden, verharrt aber in der Acht und fällt darum aus der Evolution heraus, die in Siebenerzyklen verläuft: «Es geht in sein Verderben.» Mit ihm aber auch alle, die es angebetet haben. Denn in der Anbetung nimmt man etwas vom Angebeteten in sich auf. Die Tieranbeter vereinigen sich mit dem Tier; so dass ihr seelischer Anblick dem Tiere gleich wird.

Wenn Paulus sagt: Der Christus lebt in meinem Sein, dann werden die Tieranbeter antworten: Das Tier lebt in meinem Sein. Sie werden so aussehen wie das angebetete Tier; und darum kann das Tier aus dem Meer als Antichrist bezeichnet werden. Der Menschensohn hat in ihm sein Gegenbild.

Das Tier aus der Erde

Das Tier aus der Erde wirkt auf den Erdenleib des Menschen: so weit er aus Erde gemacht und dem Tode verfallen ist. Das göttliche Lamm kam auf die Erde, um den zerfallenden Leib zur Auferstehung zu führen.

Dagegen wirkt das Tier aus der Erde. Es ist das Gegen-Lamm, der Gegen-Sohn, der in seinem innersten Wesen gegen den Vater steht; denn der Vater bildet den Urgrund aller irdischen Substanzen, Kräfte und Formen. Das Tier aus der Erde ist also ebenfalls als Antichrist zu bezeichnen; seine Wirksamkeit richtet sich aber vor allem gegen den Vatergott.

Von außen gesehen gleicht das Tier aus der Erde einem Lamm mit zwei Hörnern. Es spricht aber wie ein

Drache. Der Drache manifestiert sich in beiden Tieren. Das zweihörnige Tier wirkt durch Verstellung, Lüge, Zauberei und schwarze Magie.

Das zweihörnige Erdentier tritt als Magier auf. Es vermag Feuer regnen zu lassen und beeindruckt durch solche Wunder die Menschen. Seine Hauptwirksamkeit entfaltet es als falscher Prophet.

Das Tier aus der Erde lässt sich nicht selbst anbeten. Es zwingt vielmehr die «Erdbewohner», das Tier aus dem Wasser anzubeten als das Tier schlechthin. Zu diesem Zweck lässt es ein Bild vom Tier herstellen, dessen tödliche Wunde «wieder heil geworden war». Die Zauberkraft des Tiers aus der Erde ist so stark, dass es sogar dem Abbild «Geist» einhaucht und es damit zum Reden bringt.

Entscheidend ist, dass das Tier aus der Erde seine Tierheit versteckt, so dass es nicht erkannt wird. Es wirkt nur noch als «falscher Prophet», dessen Falschheit aber – wegen der Verblendung durch große Wundertaten – von den Erdbewohnern nicht durchschaut wird. Der falsche Prophet wirkt indirekt über das Abbild des Tieres. Das Abbild spricht. Es spricht aber nur, was der falsche Prophet denkt.

Vom Abbild wird gesagt, dass es die Menschen töten lässt, die das Tier nicht anbeten. Der falsche Prophet ordnet durch das Abbild des Tieres an, dass jeder das Zeichen des Tieres trage; aber die Menschen zeichnen sich selber, auf die rechte Hand oder auf die Stirn. Sie müssen es selber tun: Das bedeutet, dass sie sich auch verweigern könnten, zumal die Order nicht vom Wesen, sondern nur von seinem Abbild ausgeht. Aber die Drohung wirkt:

> Verkaufen oder kaufen
> konnte jetzt niemand mehr,
> der nicht das Zeichen trug:
> des Tieres Namen, oder
> die Zahl des Namens.

So wirkt der falsche Prophet vor allem auf den Egoismus der Erdbewohner. Seine Anhänger verhärten sich in ihrem erdgebundenen Ego und fallen so aus der Evolution heraus. Unzüchtig verbinden sie sich mit der Materie. Mit den beiden Tieren versinken sie am Ende im Feuerpfuhl.

Das Zusammenwirken der bösen Drei

Die drei Wesenheiten des Bösen sind miteinander eng verwandt. Darum kann man sie leicht verwechseln. Das Tier aus dem Meer sieht aus wie der Drache. Beide haben sieben Köpfe und zehn Hörner. Wer kennt die Kriterien der Unterscheidung?

Vom Tier aus der Erde schreibt Johannes, dass es wie ein Lamm aussah. Damit schlüpft es in die Rolle des Erlösers, des Sohn-Gottes. Und weiter heißt es dann: «Doch sprach es wie ein Drache.» Wenn es wie ein Drache spricht, zeigt es seinen Geist-Aspekt. Und wenn es ein Bild vom Tier aus dem Wasser herstellen lässt und ihm Geist einhaucht, tritt das Tier aus der Erde, der große Zauberer und falsche Prophet, als eine Karikatur des Vater-Gottes auf. Gott schuf den Menschen nach seinem Bilde. Aus Lehm erschuf er ihn. Dann hauchte er ihm die menschliche Seele ein. Der große Zauberer tut so, als könne er dies ebenfalls.

Auch der Drache ahmt den Vatergott nach, wenn er seinen Thron und seine Macht auf das Tier überträgt: Das ist die böse Spiegelung der Übergabe des Gerichts vom Vater an den Sohn. Im Evangelium heißt es: «Der Vater richtet keinen, denn das Gericht hat er dem Sohn gegeben.»[27] Nicht Gott, sondern Christus thront als Weltenrichter. Ihm entgegengesetzt ist das Tier auf dem Thron des Drachen.

Gemeinsam bilden der Drache und die beiden Tiere in tieferer Einheit die Trinität des Bösen, die der göttlichen Trinität entgegengesetzt ist: der Drache dem Geist, das Meerungeheuer dem Sohn und das Erdentier dem Vatergott. Alle drei wirken antichristlich, besonders das Tier aus dem Meer, weil es vom Weg zum wahren Leben ablenkt und darin vom Drachen und vom Tier aus der Erde, dem falschen Propheten, unterstützt wird.

Und seine Zahl: Sechshundertsechsundsechzig

Die «Zahl des Tieres» bezieht sich zunächst auf das Tier aus dem Meer; denn es ist das Tier schlechthin, von dem der falsche Prophet ein Bild anfertigen lässt. Es ist «eines Menschen Zahl»: Das bezieht sich auf den kommenden Gegen-Menschen in Gestalt des Tieres aus dem Abgrund des Meeres, auf die Tieranbeter, die so werden wie das Tier. Nicht das Tier wird zum Menschen, sondern der Mensch wird zum Tier.

Da aber Name und Zahl des Tieres vom falschen Propheten eingegeben werden, ist die Zahl zugleich auch die Zahl des zweihörnigen Tiers aus der Erde. Und da in beiden Tieren die Wesenheit des Drachen wirkt, ist auch er mit der Zahl bezeichnet.[28]

Die Zahl des Tieres ist die Zahl des Bösen, das sich dreifach äußert. Darum ist die Zahl dreiteilig zu lesen als Sechs und Sechs und Sechs.

Drei ist die Zahl der göttlichen Trinität. Zwei ist die Zahl des Bösen: Sie setzt eine zweite Dreiheit zur göttlichen Dreiheit und bildet solchermaßen die Sechs. So sind der Drache und die beiden Tiere in der Einheit als Sechs-Sechs-Sechs zu denken – als der dreifache Antichrist.

Der Endkampf findet auf Erden statt. Hierzu brauchen die Menschen vor allem anderen: die Kraft der Unterscheidung. An der Johannesapokalypse kann sie geübt werden.

Zahlen

Die größte Zahl ist die Eins. In ihr sind alle Zahlen enthalten. Sie steht symbolisch für Gott, der aber jenseits aller Zahlen zu denken ist als der Eine. Die Eins ist unveränderlich. Christus ist auch der Eine, besser: der Einzige; darum ist seine Zahl in der Leuchtervision die Zehn.[29] Christus ist als Herr der Zeit auch Herr der Zahlen.

Die Zwei bildet den Gegensatz zur Eins und symbolisiert damit das Widergöttliche, das böse Prinzip. Die Zwei ist Zweifel und Zwietracht. Sie sondert aus dem Geist die Materie. Die Erde steht gegen den Himmel. Aus der Zwei kommen die beiden Tiere und die beiden Tode. In der Neuen Stadt werden sie nicht sein, ebenso wenig wie Tag und Nacht. Die Zwei wirkt als Voraussetzung für die Scheidung der Geister.

Drei ist die Zahl der Gottheit, der Harmonie und des Friedens. Christus ist am dritten Tag auferstanden. Gott offenbart sich in der Apokalypse – wie im Johannesevangelium – in drei Personen: Vater, Sohn, Geist. Dreifach maskiert tritt dementsprechend das Böse auf: als der Drache und die beiden Tiere. Dreifach ertönt dem Strafgericht entsprechend (8, 7 – 12, auch 9, 18) der Wehe-Schrei des Adlers (8, 13). Drei mal drei ergibt die Zahl der Engelchöre. Dreifach erlebt sich der Mensch als Bild Gottes in Leib, Seele und Geist. Auch in der Sprachgestalt der Apokalypse zeigt sich durchgehend das trinitarische Prinzip.

Die Vier ist als gedoppelte Zwei die Zahl des Erdenraumes, des Menschenleibes und des menschlichen Ich, das sich am Leib spiegelt und von vier Elementen umgeben ist. Gottes Thron ist umgeben von vier Cherubim («Wesen»): Mensch (Engel), Löwe, Stier,

Adler.³⁰ Es treten vier apokalyptische Reiter auf (6, 1 – 7). Vier Windgötter blasen, die von vier Engeln beruhigt werden (7, 1). Von den vier Ecken des goldenen Altars vor Gott werden vier Euphratengel losgelassen (9, 14). Aber auch der himmlischen Stadt liegt die Vier zugrunde. Die Pythagoreer wussten um die besondere Bedeutung der Zahl Vier. Sie war ihnen heilig. Mit Eins, Zwei und Drei addiert ergibt sich die Zahl Zehn als Zahl des Menschensohnes.

Die Vier wird durch die Drei aufgehoben in die Sieben: die Zahl des heiligen Geistes. Die Ausgießung des Geistes erfolgte 49 Tage (7 x 7) nach der Auferstehung zu Ostern. Die Zahl Sieben offenbart das Prinzip der Entwicklung in der Zeit. Entwicklung erfolgt durch Tugendübung. Insofern gibt es sieben Gaben (Tugenden) des heiligen Geistes³¹ und sieben Seligpreisungen.

Durch die Zahl Sieben ist die Grundstruktur des Buches bestimmt. Gott ist von «sieben Geistern» (Fackeln) umgeben (4, 5).³² Christus schreibt durch Johannes sieben Briefe an die Engel der sieben Gemeinden. Er öffnet als das Lamm die sieben Siegel des Buches, in dem die Menschheitsentwicklung verzeichnet ist. Das ist der Beginn der Endzeit. Sieben Donner antworten dem Ruf des starken Engels (10, 3). Die sieben Posaunen verkünden den Anbruch des Gottesreichs (11, 15 f.), obwohl die Tiere noch wüten und der Endkampf bevorsteht. Mit der Geburt des Erlösers ist das Ende gesetzt. Nachdem die gesamte Evolution sieben große Zeitfolgen umfasst, ist die verbleibende Zeit durch drei und eine halbe Zeit bestimmt: 1260 Tage sind 42 Monate oder 3 ½ Jahre. Die Inkarnation Christi, des Logos, bezeichnet die Mitte der Zeit.³³ Was danach kommt, ist Inhalt der Apokalypse. Mit den sieben Posaunenstößen wird jeweils eine Steigerung der apokalyptischen Ereignisse angekündigt. Das Ausgießen der sieben Schalen göttlichen Zornes führt zum Weltgericht am Jüngsten Tag.[34] Ernst Lohmeyer spricht mit Bezug auf die «Herrschaft der Siebenzahl» von einer gleichsam «heiligen Form der Apokalyptik».[35]

Darüber hinaus wird die Vier durch die Drei aufgehoben in die Zwölf: zum Prinzip des Raumes. Zwölf ist die Zahl des Kosmos, begriffen als dreifach erweiterter Erdenraum (Tierkreis). Die himmlische Frau trägt einen Kranz von zwölf Sternen auf dem Haupt. Die himmlische Neue Stadt hat zwölf Tore (Perlen), die von zwölf Engeln bewacht werden. Angeschrieben sind die zwölf Stämme Israels (7, 4–8). Sie repräsentieren die Menschheit. Die Mauer der Stadt umfasst 12 x 12 Ellen und steht auf zwölf Grundsteinen, geschmückt mit zwölf Edelsteinen (21, 19–20) und mit den Namen der zwölf Apostel (21, 14).[36]

Die Zahlen geben der Wirklichkeit Struktur. Sie werden von Johannes wesenhaft gedacht und bilden ein eigenes Reich der Wirklichkeit. Ohne Zahlen gäbe es keine Möglichkeit der Messung. Nachdem er das Buch verschlungen hat, bekommt Johannes den Auftrag, den Tempel Gottes, den Altar, mitsamt den Betern, zu vermessen. Im Neuen Jerusalem gibt es keinen Tempel mehr, aber Gott lässt durch einen Engel die Stadt – einen großen Würfel – vermessen:

> Und er vermaß die Stadt mit seinem Rohr:
> Die Länge war zwölftausend Stadien,
> von gleichem Maß die Breite und die Höhe.

Freiheit

Im Anfang war der Rückzug. Gott musste sich in sich selbst zurückziehen, um Freiheit zuzulassen. Die Freiheit des Menschen ist die Grenze der Allmacht Gottes: Gott verlegte seine Grenze nach innen, damit außen, in der Welt, Freiheit entstehen konnte.

Als Geschöpf ist der Mensch unfrei. Gott konnte ja nicht einfach sagen: Mensch, sei frei! Der Mensch musste es schon von sich aus wollen. Dementsprechend schildert die Bibel den Beginn der menschlichen Freiheit als Verführung.

Die Freiheit entstand in der Auseinandersetzung mit dem Bösen, das heißt: durch Erkenntnis von Gut und Böse. Der erkennende Mensch wird frei und damit selbstverantwortlich.[37] Als zum Denken befähigt, muss er lernen, zwischen Propheten und falschen Propheten zu unterscheiden.

Im Evangelium benennt Johannes den Geist als Helfer: «Das Kommende wird er euch künden.»[38] Er selbst, Johannes, hat in der Apokalypse vom Kommenden geschrieben.

Die Apokalypse eröffnet die Sicht auf den Heilsplan Gottes. Der Blick auf kommende Ereignisse ist aber keine Festlegung. Er steht der Freiheit – auf dem Erkenntnisweg – nicht entgegen.

Durch Inkarnation, Tod und Auferstehung Christi gewann der Mensch eine höhere Stufe der Freiheit. Die luziferische Freiheit, die der Mensch durch den Sündenfall erlangte, wurde aufgehoben zur *Freiheit der Mitgestaltung*. Die Zukunft kommt dem Menschen zu. Sie ergibt sich aus der Vergangenheit. Insofern ist sie bedingt durch die Mitgestaltung des Menschen. Nur die

Tieranbeter mit des Tieres Zeichen geben ihre Freiheit auf, denn sie zeichnen sich selbst (13, 16).[39]

Schelling, Verfasser «philosophischer Untersuchungen über das Wesen der menschlichen Freiheit» (1809), bekannte: «Hätte ich in unserer Zeit eine Kirche zu bauen, ich würde sie dem heil. Johannes widmen.»[40] Johannes zeigt in seinen Schriften den Weg zur Freiheit: «Die Wahrheit macht euch frei.»[41] Sie kann es aber nur, wenn sie als Wahrheit *erkannt* wird. Die Erkenntnis der Wahrheit führt als Weg zum wahren Leben, das in der Apokalypse im Bild der Neuen Stadt geschildert wird. Auf der anderen Seite tut sich der Abgrund auf.

Veranlagt wurde die Freiheit im Ich durch die Schlange. Christus hat sie – im Opfer – begründet. Der Geist ermöglicht ihre Vollendung im höheren Ich.

Johannes, der Empfänger der Offenbarung, in der bildenden Kunst

Blick auf die Bamberger Apokalypse

Die Bamberger Apokalypse entstand um 1009 auf der Reichenau.[42] Sie enthält 49 Miniaturen, wobei die Zahl 7 x 7 gewiss nicht zufällig ist, sondern dem Siebenerrhythmus der Offenbarung entspricht. Das erste Bild ist dem Text vorangestellt und zeigt, wie Johannes die Offenbarung empfängt. Damit wird dem Leser, wie im nachfolgenden Text, gleich zu Beginn gesagt, wer der eigentliche Autor ist:

> Dies ist die Offenbarung Jesu Christi
> die ihm von Gott gegeben,
> den Seinen aufzuzeigen,
> was bald geschehen soll. (1, 1)

Christus übergibt Johannes das Buch mit den sieben Siegeln, die durch sieben Kreise auf dem Buchdeckel angedeutet sind. Öffnen kann es nur der Autor selbst: Christus, das Lamm Gottes (5, 1–5). Das Buch symbolisiert hier die gesamte Offenbarung, soweit sie Johannes zuteil wird.

Johannes ist alt und grauhaarig. Er beugt demütig die Knie. Seine Hände sind bedeckt, damit das Buch nicht verunreinigt wird. Er blickt auf zu Christus, der mit dem Oberkörper aus drei Kreissegmenten in der rech-

Abb. 1: Johannes empfängt die Offenbarung. Erstes Bild der Bamberger Apokalypse, fol 1 r, 19 x 15 cm. Reichenau, um 1009. Bamberg: Staatsbibliothek, Msc Bibl. 140 (aus dem Kollegiatsstift St. Stephan).

ten oberen Bildecke hervorkommt. Die Kreise deuten auf den göttlichen Bereich, der von drei Hierarchien umgeben ist. Johannes und Christus schauen sich in die Augen. Das Buch verbindet sie. Christus und Johannes sind sehr ähnlich gewandet; nur die Farbe des Überwurfs differiert. Auffällig ist ihr Größenunterschied.

Der Hintergrund ist zweigeteilt in einen kleinen grün gehaltenen Erdbereich und eine goldfarbene Geistsphäre, die drei Viertel des Bildes einnimmt, aber von einem schmalen Grünstreifen umrahmt ist. Den äußeren Rahmen bildet ein viergeteilter breiter Streifen mit Pflanzenornamenten.

Johannes steht fest auf der Erde, ragt aber zu drei Viertel in den goldenen Geisthimmel. Sein Nimbus ist grün, das bedeutet: Bewusstseinsmäßig bleibt Johannes auch in der Geistesschau der Erde verbunden – ihrem wahren Leben.

Da Johannes von links kommt, ergibt sich eine Bildgestaltung mit Betonung der Diagonale. Der Blick wird zum offenbarenden Christus gelenkt. Außer dem Buch gibt es keine Gegenstände, die ihn ablenken könnten. Das Buch zwischen der linken Hand Christi und den verdeckten Händen des Johannes teilt die Bildbreite im goldenen Schnitt.[43] Die Übergabe der Offenbarung ist ein rein geistiger Vorgang. Auf ihn konzentriert sich der Maler. Nur diesen Vorgang will das Bild ausdrücken. Damit wird diese Malerei zum Meditationsbild.

Johannes auf den Schultern von Ezechiel

Johannes kannte nicht nur die griechischen und jüdischen Philosophen und Historiker, sondern auch die Schriften der alten Propheten. Auffällig ist vor allem die Nähe zu Daniel und Ezechiel. Dennoch hat er bestimmte Motive nicht einfach übernommen. Das «Viergetier» – die vier «Wesen» – haben beide geschaut: Ezechiel und Johannes. Das bedeutet: dem Bild liegt Wirklichkeit zugrunde. Es sind wirklich «vier Wesen». Die Tradition wirkt in der Ausgestaltung der Bilder. Insofern ruht jeder Spätere auf den großen Vorbildern. Die Authentizität ist damit nicht in Frage gestellt. Sie wird sogar durch das Studium der Alten gefördert. Darum erfüllt der Rückblick in die Geschichte den Schauenden mit Dankbarkeit.

In diesem Sinne konnte im Mittelalter das Bild verstanden werden, das Johannes von Salisbury (1110/20–1180) dem großen Bernhard von Chartres (gest. 1124/30) zuschrieb:

> Bernhard von Chartres sagte, wir seien wie Zwerge, die zufällig auf die Schultern von Riesen geraten seien, so dass wir weiter als diese und tiefer schauen könnten, nicht zwar infolge der Schärfe des eigenen Auges oder der Höhe unseres Körpers, sondern weil wir in die Höhe gehoben und emporgetragen werden von der Riesengröße.[44]

Wenn Johannes in der Glasmalerei der Kathedrale von Chartres von Ezechiel getragen wird, heißt dies aus der Sicht der Theologen des 13. Jahrhunderts: So werden auch wir von Johannes getragen. Die weitere Sicht ist aber nicht nur als bloße Addition zu verstehen.

EZECHIEL

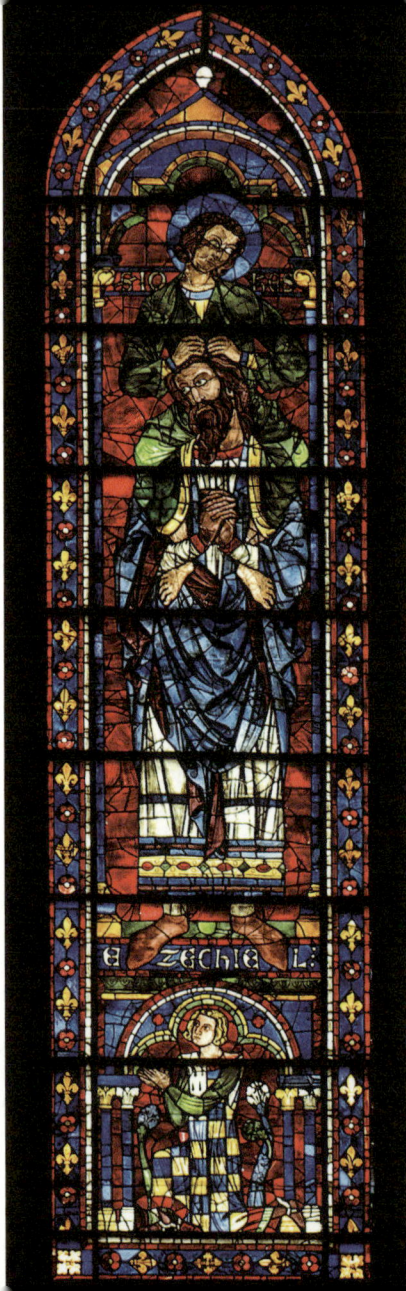

Das Neue Testament ruht auf dem Alten Testament; es ist durch die Propheten vorherverkündet worden. Nachdem die Verkündigung eingetreten ist, hat sich die Wirklichkeit verändert. Und zur Addition entsteht der Keim der Entwicklungsidee.[45] Wir sehen nicht nur mehr, sondern wir tragen auch eine neue Qualität in uns, mit der wir das Ziel anders angehen.

Abb. 2: Johannes auf den Schultern von Ezechiel. Glasfenster in der Kathedrale von Chartres, Querhaus, Süd, Obergaden, unter der Südrose, 13. Jh.

Teppichwirkerei von Angers: Johannes und die zweite Seligpreisung

Im letzten Viertel des vierzehnten Jahrhunderts erhielt Hennequin von Brügge (Jean Bandol) vom Herzog Ludwig von Anjou den Auftrag zu Entwürfen für eine Teppichfolge zur Apokalypse. Sie ist heute 103 m lang und 4, 50 m hoch (ursprünglich 130 x 5, 50 m) und hat nicht ihresgleichen. In der Technik der Teppichwirkerei sind 70 Szenen dargestellt. Johannes ist auf fast allen Bildern zu sehen, zumeist links im oder vor einem kleinen Haus. Der Auftraggeber wurde von den Geschichtsschreibern als brutal, feige und machtbesessen geschildert. Vielleicht hat er das gewaltige Werk zu seiner Selbsterkenntnis anfertigen lassen. Im vierzehnten Kapitel der Offenbarung konnte er lesen:

> Und eine Stimme hörte ich,
> die aus dem Himmel zu mir sprach:
> Schreibe!
> Selig sind von jetzt an alle Toten, die
> im Herrn hinübergehen. Ja,
> es spricht der Geist:
> Sie sollen ruhen
> von ihrer Mühsal;
> denn ihre Werke folgen ihnen nach.

Der Herr des Schicksals offenbart sich im Geist des Engels. Johannes erhält erneut den Auftrag, zu schreiben. Der Engel verkündet die zweite Seligpreisung der Apokalypse. Es ist die Erkenntnis des Paulus: Wer in Christus stirbt, wird leben. Wenn aber «der Geist» spricht, handelt es sich um den personal gedachten Heiligen

Abb. 3: Johannes und die zweite Seligpreisung. Teppichwirkerei, 14. Jh. Angers.

Geist, der eins ist mit dem Herrn des Schicksals. Die da ruhen, sind nicht Gerechte, sondern Heilige. Die Sieben repräsentieren aber alle Menschen; denn jeder kann heilig werden; er muss es nur wollen. Die Werke, die ihnen nachfolgen, begründen ihre Seligkeit – die Ruhe – im Herrn.

Johannes, rot gewandet, sitzt auf diesem Bild im Freien, am Abhang einer felsigen Anhöhe. In zwei großen Betten liegen, einander zugewandt, die Leiber von vier und drei Heiligen im Todesschlaf. Ihre Seelen werden von zwei Engeln in einem Tuch getragen: Jeweils drei blicken auf eine mittlere Seelengestalt, die darüber hinaus auch durch ihre Größe hervorgehoben ist. Auch im Himmel gibt es keine Gleichheit. Ihr Anblick ergibt sich aus ihren Tatenfolgen auf Erden. Diese sind noch vom Prinzip der Zwei geprägt: zwei Gruppen, zwei Betten. Im Himmel bilden die Sieben aber eine harmonische Seeleneinheit.

Der Geist der Toten kann nicht imaginiert werden. Er ist nur symbolisch angedeutet durch sieben sechsstrahlige Sterne im höheren Geistbereich, der durch ein Wolkenband vom Seelenhimmel getrennt ist. Die beiden Engel tragen das Selbst der sieben Heiligen vom Seelenland in die Geistwelt.

Ein dritter Engel zeigt dem Seher auf einem Band, was er zu schreiben hat. Der Blick des Johannes ist dementsprechend aufwärts gerichtet. Der Seher beschreibt eine lange Schriftrolle, die auf seinen Knien liegt und bis auf den Boden hinabreicht. Der blaue Himmel der Seelen zeigt durchgehend Ranken mit zumeist dreigliedrigen Blättern.

Brüder Limburg: Johannes auf Patmos

Die *Très riches Heures* des Jean Duc de Berry wurden von den Brüdern Limburg vor 1416 gestaltet. Nach dem Kalender und dem abschließenden Blatt vom kosmischen Menschen (fol 14 v) beginnen die Evangelienperikopen mit einer Illustration des Johannesprologs: «In principio erat verbum – Im Anfang war das Wort». Das Bild zeigt aber Johannes auf Patmos, wie er den Thronenden mit Buch und Lamm erschaut: Apokalypse, Kapitel vier und fünf.

Johannes ist hier ein jüngerer Mann mit wallendem braunen Haar ohne Anzeichen von Kerkerhaft oder Folter. Er sitzt halb kniend auf einem winzigen Eiland im Meer, das außer magerem Grasbewuchs nichts aufzuweisen hat. Auf seinem linken Knie liegt das aufgeschlagene Evangelienbuch. Die Bildunterschrift besagt, dass er den Prolog zum vierten Evangelium formuliert. Er schaut aber ein Bild der Apokalypse, das ihm von drei Posaune blasenden Engeln vermittelt wird. Die Posaune des mittleren Engels kommt ganz nah an sein Ohr.

Der Thronende trägt ein weißes Kleid mit rotem Obergewand. Auf seinem Schoß liegt das Lamm vor dem Buch mit den sieben Siegeln. Er ist umgeben von den «vier Wesen», Cherubim mit sechs Flügeln, die aber alle Menschenantlitz tragen. Zu beiden Seiten abwärts thronen die 24 bekrönten Ältesten, von denen sechs ebenfalls ein Buch besitzen. Sie thronen wie die Kleriker auf Bänken eines Kirchenchors.

Johannes ist hellgraublau gewandet. Seine Geste kündet von unmittelbarer Berührung durch den Geist der drei Engel. Sein Adler hat sich vor ihm niedergelassen und hält ihm das Tintenfass und den Köcher für die

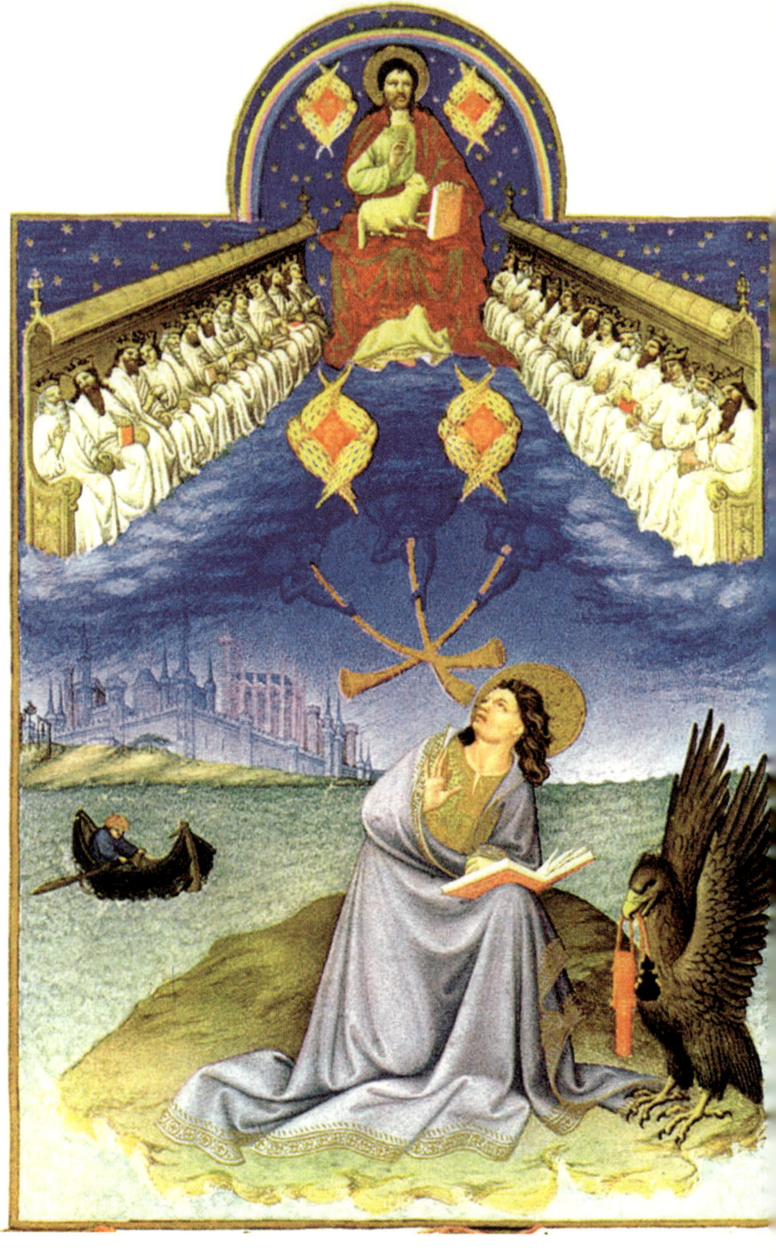

Schreibfedern. Mit seinen emporgehobenen Flügeln zeigt er die Empfangsbereitschaft des Evangelisten und Apokalyptikers an.

Im Hintergrund sieht man die Silhouette einer mittelalterlichen Stadt. Auf sie zu bewegt sich ein einsamer Ruderer, der wohl Johannes gerade verlassen hat.

Im Evangelium schreibt Johannes vom Wort, das im Anfang war, bei Gott und Gott war. In der Apokalypse ergänzt er die Frohbotschaft mit dem Ausblick auf das Ende der Evolution. Das Wort, das Mensch wurde, wird am Ende die Welt richten. Das Bild der Brüder Limburg sagt: Beide Bücher gehören zusammen. Johannes hat beide geschaut, gehört und geschrieben.

Abb. 4: Brüder Limburg, wohl Paul: Johannes auf Patmos, Buchmalerei, vor 1416. Les très riches Heures de Jean Duc de Berry. Chantilly: Musée Condé.

Johannes auf Patmos in der Sicht Hans Memlings

Hans Memling aus Seligenstadt am Main erwarb 1465 das Bürgerrecht in Brügge und starb daselbst 1494, nachdem ihm seine Frau 1487 vorangegangen war.

Hans Memlings Johannesaltar wurde 1475 als Hauptaltar für die Kapelle des Johannesspitals in Brügge bestellt. Dort befindet er sich heute noch. Der Maler selbst hat das Triptychon mit seiner Fertigstellung 1479 datiert. Die Mitteltafel zeigt eine thronende Madonna, die von zwei Engeln gekrönt wird, und zugleich die Verlobung der heiligen Katharina, vor allem aber die beiden Johannes, die im Antlitz große Ähnlichkeit haben und die Heilsgeschichte bezeugen.[46] Der linke Flügel ist Johannes dem Täufer gewidmet, der rechte dem Seher auf Patmos, wie er die Visionen der Apokalypse empfängt. ‹Die beiden Johannes als Zeugen› könnte als Gesamtthema für das Triptychon gelten.

Johannes nimmt, auf einem kahlen, nur mit etwas Gras bewachsenen Felsen sitzend und meditierend, die untere Hälfte des Bildes ein. Er ist ein Mann mittleren Alters, mit braunem Haar, bärtig und barfuß.

Der Seher, aufwärts blickend, ist mit einem weiten, faltenreichen Gewand bekleidet. Das Gewand ist einfach, ohne Verzierungen, wirkt aber in seinem zwar dominierenden, aber doch auch zurückhaltenden Rot maßvoll und edel. Auf den Knien hält er mit der Linken ein aufgeschlagenes, dickes Buch, in das er einschreibt, was er schaut und hört: die Apokalypse. Die Rechte kreuzt die Linke und taucht die Schreibfeder in ein Tintenfass. In der Linken hält Johannes ein Federmesser.[47] Johannes schreibt nicht: Er schaut.

Die untere Bildhälfte steht im Zeichen der Reduktion

von Gegenständen und Farben. Johannes strahlt Ruhe aus. Die obere Bildhälfte zeigt demgegenüber eine gedrängte Fülle von Wesenheiten, Gegenständen und Ereignissen.

Die vier apokalyptischen Reiter (6, 1 – 7), jeder auf einer Erdscholle im Meer, teilen das Bild in die untere und die obere Hälfte. Der weiße Reiter, mit gespanntem Bogen, bewegt sich nach links, während die anderen drei in die Gegenrichtung reiten. Dem Tod auf dem fahlen Ross folgt die brennende Hölle mit weit aufgerissenem Rachen.

Die obere Bildhälfte ist in sich wieder zweigeteilt: links die himmlische Welt, die von einem regenbogenfarbigen Kreis umschlossen ist, und rechts die untergehende Erdenwelt mit zahlreichen apokalyptischen Ereignissen. Ein Engel lenkt die Schau des Johannes zum Thronenden in der Himmelsmitte (4, 2). Der Regenbogen – als Tor zur Geistwelt – spiegelt sich im Wasser zu seinen Füßen.

Das Zentrum des großen Kreises bildet ein feuerstrahlender kleiner Kreis mit den Farben eines doppelten Regenbogens. In ihm erhebt sich eine nach allen Seiten offene gotische Ädikula: inmitten der Thronende mit dem Lamm und dem Buch des Schicksals, das außer dem Lamm niemand zu öffnen vermag. (5, 1 – 5). Vom Thron hängt ein kostbarer Brokatteppich herab, der sich im gläsernen Meer spiegelt.[48]

Der Thronende ist umgeben von den «vier Wesen» (Adler, Löwe, Stier und Mensch), die mit ihren sechs Flügeln – nach Ezechiel – als Cherubim gekennzeichnet sind (4, 6 – 8). Im äußeren Kreis thronen die 24 Ältesten (4, 4). Sie tragen Kronen auf den Häuptern und Musikinstrumente in den Händen. Sie singen das «neue Lied» (5, 8). Außerhalb des Kreises steht der goldene Altar. Davor kniet ein Engel und füllt sein Räuchergefäß mit Feuer vom Altar (8, 5).

Oben rechts im Bild sieht man, wie bei der Eröffnung des sechsten Siegels die Sonne sich verfinstert (6, 12). Menschen verbergen sich in den Klüften (6, 15), und ein Schiff geht unter.

Am Außenrand des Regenbogenkreises blasen die sieben Posaunenengel. Dabei regnet es Feuer vom Himmel (8, 7), ein Berg wird ins Meer geworfen (8, 8) und ein Stern fällt auf die Erde (9, 1 – 2). Rauch steigt auf (9, 2).

> In jener Zeit werden die Menschen
> den Tod ersehnen und nicht finden. (9, 6)

Heuschrecken sieht man «gleich Pferden, / gerüstet wie zum Krieg» (9, 7). Johannes schaut einen starken Engel:

> Mit seinem rechten Fuß trat er aufs Meer,
> und mit dem linken auf das Land. (10, 1 – 2)

Das Verschlingen des Buches wird nicht gezeigt, wohl aber die himmlische Frau und der feuerrote Drache mit sieben Köpfen, der die Frau bedrängt (12, 1 ff.). Ihr Kind, auf das es der Drache abgesehen hat, wird entrückt. In seiner Wut fegt der Drache mit seinem Schwanz den dritten Teil der Sterne hinweg (12, 4). Auf der Erde wird gekämpft so auch im Himmel. Doch sind die von den Posaunenstößen hervorgerufenen Ereignisse noch fern, auf dem Bild entsprechend klein und im Hinter-

Abb. 5: Hans Memling: Johannes auf Patmos, 1479, 172 x 79 cm. Rechter Flügel des Johannestriptychons im Johannesspital zu Brügge, Memlingmuseum.

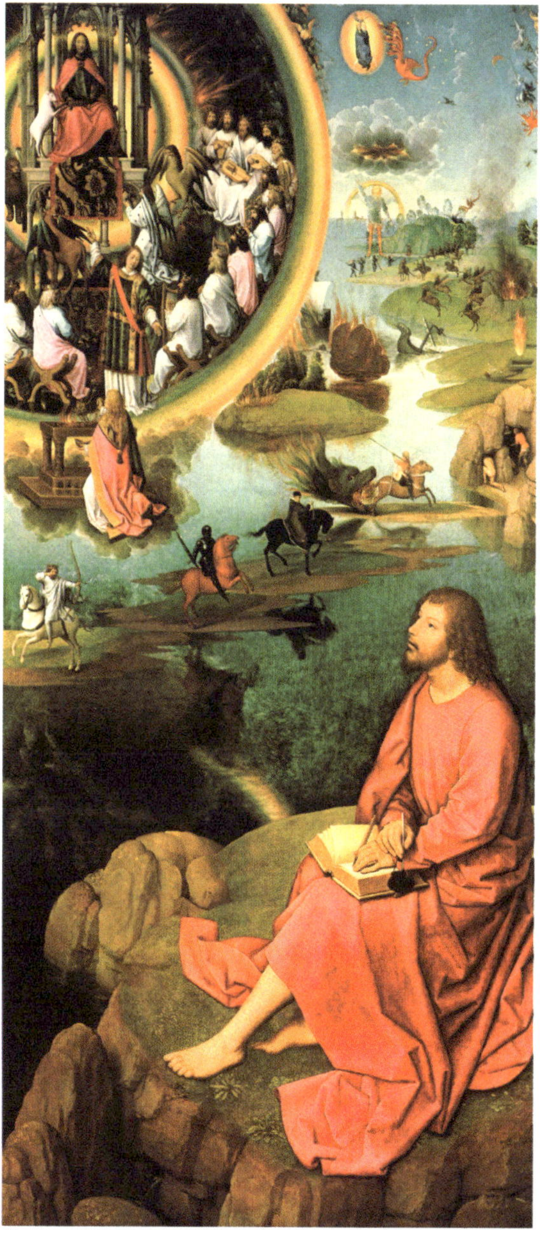

grund, teilweise nur sehr schwer zu erkennen. Die Auseinandersetzung mit dem Tier aus dem Wasser und dem Tier aus der Erde wird nicht gezeigt. Auch das Neue Jerusalem tritt bei Memling nicht in die Sicht. Auf die letzte Steigerung im Endkampf – was sich zuträgt beim Ausgießen der Zornesschalen – verzichtet der Maler.

Memling betont die Einsamkeit des Johannes. Er konzentriert sich in der Darstellung auf das in seiner Sicht Wesentliche. Das bedeutet: Memling malt nicht nur etwas ihm Fernliegendes, den Auftrag der Stifter, sondern er bringt sich selbst mit ein in die Schau des Johannes, umso mehr als Johannes sein Namenspatron ist, dem er sich im Leben würdig zu erweisen versuchte. Der Johannes des Bildes offenbart die Seelenstimmung des Malers. Memling malt den Seher, wie er sich selbst sieht: Johannes Memling sieht Johannes auf Patmos, der seinen Adlergeist bei Gott sieht.

Die Augen des Johannes blicken – durch die Profilstellung des Hauptes – am Inhalt der Gesichte vorbei. Damit bringt der Maler zum Ausdruck: Die Schau ist ein rein innerlicher Vorgang, ganz unabhängig vom sinnlichen Sehen.

Obwohl er Katastrophen schaut, ist Johannes überhaupt nicht beunruhigt. Er zeigt auch keine Spuren seines Martyriums. Die Bilder drängen sich ihm nicht auf, sie gestalten sich aus der Meditation. Johannes ist kein von außen bewegter «Zungenredner», sondern – nach Paulus – der zweite christliche Denker, dessen Denken die Menschheit bewegt.

Johannes auf Patmos – Blick auf Hieronymus Bosch

Hieronymus Bosch entstammt der Malerfamilie Van Aeken, die dem Namen nach aus Aachen kam. Er wurde vermutlich in der Mitte des 15. Jahrhunderts geboren und starb 1516 in 's-Hertogenbosch, wo er in großem Ansehen stand.

Das Gemälde «Johannes auf Patmos»[49] entstand um 1490 im Auftrag der Liebfrauenbruderschaft als einer der Flügel für das Marienretabel (1475–77) von Adrian van Wesel in der Kathedrale Sint Jan zu 's-Hertogenbosch. Hieronymus Bosch war selbst Mitglied der Liebfrauenbruderschaft.

Die Rückseite des Bildes zeigt auf dunklem, mit Dämonen besetztem Hintergrund ein großes Auge – Iris und Pupille – mit Szenen der Passion und dem Pelikan als Symbol Christi in der Mitte. In diesem Zusammenhang interessiert die Vorderseite: Wie sieht der Maler die Gestalt des Jüngers, «den der Herr lieb hat»?

Johannes, in einem edlen hell-rötlichen Gewand, sitzt etwas erhöht im Vordergrund und wird nach hinten von einem Hügel überragt, auf dem ein Engel, ganz in Hellblau, seinen inneren Blick nach oben lenkt, wo in der linken Ecke die himmlische Frau, «von der Sonne umkleidet», mit dem Kind im Arm erscheint. Johannes ist im Profil gezeichnet: der Blick seiner Augen geht an Engel und Jungfrau vorbei. Damit wird deutlich: Johannes schaut mit dem Herzen. Aber unmittelbar neben ihm tut sich der Abgrund auf.

Der Himmel ist zweigeteilt: oben dunkel und zum Horizont hin leuchtend hell. Die Madonna erscheint im dunklen Bereich und wirkt dementsprechend nah.

Abb. 6a: Hieronymus Bosch: Johannes auf Patmos. 1489/95. Berlin: Gemäldegalerie.

Die weite niederländische Landschaft im Hintergrund ist für Johannes durch den Hügel verdeckt: viel Wasser, mit Schiffen, von denen eines in Brand geraten ist.[50] Weit im Hintergrund erhebt sich ein sehr hoher Kirchturm. Johannes blickt nicht in die Landschaft, sondern in die Geistwelt.

Der Madonna links oben entspricht ein insektenartiges Wesen rechts unten, so dass über den schauenden Johannes und den weisenden Engel eine Bilddiagonale entsteht.

Hinter Johannes erhebt sich ein hoher Baum, dessen Krone bis in die rechte obere Ecke reicht. Vor Johannes ganz im Vordergrund links sitzt ein Vogel auf dem Erdboden, so dass – über Johannes gesehen – ebenfalls eine Diagonale entsteht. Das heißt: Johannes – genauer: seine Herzregion – befindet sich in der Mitte eines gedachten Andreaskreuzes.

Johannes schreibt auf, was er mit dem Herzen schaut. Auf seinen Knien hält er mit der Linken sein Buch: die Apokalypse. In der erhobenen Rechten sieht man den Stift. Zugehöriges Schreibzeug liegt zu seinen Füßen. Im Baum halten sich Vögel auf; einer ist gerade im Anflug. Der Baum ist Ausdruck neuen Lebens, das vom christlichen Mysterium ausgeht. Er wächst buchstäblich in den Himmel. In den Vögeln kann man Repräsentanten des Seelischen erblicken. Das Kreuz am Wegesrand ist das Zeichen der Erde, deren Verwandlung bis zum Ende der Zeiten in der Johannesapokalypse dargestellt ist.

Rätselhaft bleibt der Vordergrund. Das dämonische Wesen ist nach unten hin ein Insekt. Der Kopf ist aber nach Menschenvorbild gezeichnet: Ein Gelehrter mit fahlem Antlitz und Brille. Seine Züge erinnern an jenen Peiniger Christi auf der Londoner «Dornenkrönung»,

Abb. 6b: Hieronymus Bosch: Johannes auf Patmos, Detail. Vogel und Gelehrter.

der das gleiche Medaillon trägt wie er. Er hat weiße Flügel, die mit dem schwarzen Insektenleib kontrastieren. Er kann sie aber nicht nutzen, da man ihm eine Zwangsjacke übergezogen hat. Auf dem Kopf trägt er ein Gefäß, aus dem Feuer und Rauch entweicht. Der Vogel des Johannes hat den Gelehrten-Dämon offensichtlich erschreckt; denn ihn blickt er an. Er reißt seine Arme hoch und lässt seine Hakenstange fallen, mit der er möglicherweise das Tintenfass stehlen wollte.[51] Der Vogel hat aber gar nichts Erschreckliches an sich. Man hat in ihm den Adler des Johannes sehen wollen.[52] Aber dem Evangelistensymbol hätte Hieronymus Bosch doch wohl ein adlerhaftes Aussehen verliehen – wenn er es denn hätte malen wollen. Der Hinweis auf jenes Rebhuhn, das Johannes – nach der Legenda aurea – von einem Freund geschenkt bekam, trifft aber kaum besser.[53]

Vielleicht sah der Maler die Liebe getragene Geistigkeit des Johannes eher im Rebhuhn als im Adler repräsentiert, der ja ein Raubtier ist. Zwar spricht man

Abb. 6c: Hieronymus Bosch: Johannes auf Patmos, Rückseite. Szenen der Passion.

vom «dummen Huhn»; aber bei Gott könnte sich die Torheit in Weisheit verwandeln. Halb Adler, halb Rebhuhn: der Vogel des Johannes hat auf diesem Bilde von beiden etwas.

Das vertrocknete Gelehrtenwissen steht jedenfalls der Sophia in der lebendigen Schau des Johannes gegenüber. Das ist wohl das eigentliche Thema des Bildes: die Verwandlung des Wissens in Weisheit. Sie erfolgt in der Seele, die im Vogel repräsentiert ist. Das erdgebundene Wissen erschrickt, weil es noch nicht begriffen hat, dass es sich – wie die grüne Schlange in Goethes *Märchen* – opfern muss. Es erschrickt vor der höheren Weisheit, die sich dem Verstandeszugriff versagt.

Der Gelehrte trägt sein Erkenntnisfeuer auf dem Kopf. Es ist nach außen gewendet. Johannes erglüht innerlich. Darum scheint sowohl seine Haut als auch seine Kleidung rötlich. Der Engel ist Ausdruck objektiver Geistigkeit. In Johannes ist der Geist individualisiert. Seine Weisheit ist christlich.

Die Bildgestaltungen von Hieronymus Bosch zeugen von eigenem visionären Erleben. Die Frage, ob er – neben der Liebfrauenbruderschaft – noch einer Gemeinschaft esoterisch orientierter Christen nahestand,[54] ist demgegenüber zweitrangig. Seine Originalität ist auffällig. Zwar kann seine Schau sich nicht mit der Schau des Johannes messen; aber Johannes weist ihm die Richtung.

Ein Nachtstück von Velázquez

Um 1619, also mit 20 oder 21 Jahren, nach seiner Meisterprüfung in Sevilla, malte Diego Velázquez (1599–6.8.1660) sein Bild *Johannes auf Patmos*. Es hing ursprünglich im Convento del Carmen Calzado in Sevilla und befindet sich heute in der Londoner National Gallery. Die Überlieferung ist für den jungen Maler nur der Ausgang für eine eigene Sicht.

Johannes schreibt die Offenbarung in ein Buch. Er ist als junger Mann dargestellt, wie er die himmlische Frau erschaut. Die Gestalt des Johannes nimmt fast die ganze Bildfläche ein. Der Seher hat sich auf dem felsigen Boden niedergelassen, mit dem Rücken an einen alten Baumstamm gelehnt. Der Baum ist hohl und symbolisiert die absterbende Welt des Irdischen.

Johannes trägt ein einfaches weißes Untergewand, das bis zu den Füßen reicht. Den goldfarbenen Umhang hat er über die Knie gebreitet. Er bedeckt teilweise noch zwei am Boden liegende alte Bücher. Über den rechten Arm hat Johannes außerdem einen purpurfarbenen Schal gelegt.

Die nackten Füße sind gekreuzt. Mit der linken Hand hält Johannes ein aufgeschlagenes großformatiges Buch, mit der Rechten die oben abgebrochene Schreibfeder. Während der Schau hält er im Schreiben einen Moment still.

Der Blick des jungen Sehers geht in die linke obere Bildecke, wo die himmlische Frau erscheint. Sie steht auf einer großen Wolke über dem Meer: von der Sonne umkleidet, den Mond zu den Füßen, ihr Kind auf dem Arm. Die Frau ist nicht bekrönt, wohl aber beflügelt, so dass sie entfliehen kann; denn sie wird von einem Untier

Abb. 7 : Diego Velázquez: Johannes auf Patmos, um 1619, 135, 5 x 102, 2 cm. London: National Gallery.

bedrängt. Velázquez hat dem Drachen der Apokalypse nur drei Köpfe zugestanden, so dass er auf diesem Bild das dreifache Böse repräsentiert. Mit dem langen aufgestellten Schwanz reißt er vor Zorn die Sterne vom Himmel.

Der Adler des Johannes hat sich an seiner rechten Seite auf einem Stein niedergelassen, den Kopf zum aufgeschlagenen Buch gewendet. Die Dreiheit der Bücher bezieht sich wohl auf die Apokalypse, das Evangelium und die Briefe des Johannes.

Die hell erleuchtete Gestalt des Sehers hebt sich von der sehr dunklen Umgebung deutlich ab. Der kontrastreiche Realismus ist an Caravaggio orientiert, dessen Einfluss sich kaum ein Maler dieser Zeit entziehen konnte. Die dunklen Brauntöne gehen stellenweise fast ins Schwarze über, so dass der Adler, das Meer und der abgestorbene Baum auf den ersten Blick nur mit Mühe zu erkennen sind.

Es ist Nacht. Johannes wird innen wie außen aus dem Himmel erleuchtet, wo die apokalyptische Frau in der «Sonne um Mitternacht» erscheint.

Anhang

Kommentar zur Apokalypse

Einleitung

Prolog

1,1 Ἀποκάλυψις = Aufdecken, Offenbarmachen, Entschleiern. Sprachliche Neuprägung des Johannes (E. Lohmeyer, S. 7). R. Steiner übersetzt: «Sieh die Erscheinung Jesu Christi.»
- *den Seinen*. Wörtlich: seinen Knechten
- *Engel*. ὁ ἄγγελος – der Bote: Engel als Bote Gottes. Zwischen Gott und dem Menschen gibt es neun Engelhierarchien, die zuerst der Paulusschüler Dionysios vom Areopag systematisch dargestellt hat, veröffentlicht von einem Unbekannten um 500 n. Chr. Dritte Triade: Angeloi, Archangeloi, Archai. Zweite Triade: Exousíai, Dynámeis, Kyriotetes. Erste Triade: Throne, Cherubim, Seraphim. Die erste Triade steht unmittelbar zur göttlichen Trinität. In der Seele des Menschen offenbart sich zunächst der Engel.
- Propheten sind *«Knechte»* Gottes, d.h. Ihm ganz zu eigen. Moses, Elias, Hiob, alle Großen Israels waren Knechte Jahwes.

  Johannes ist der geliebte Jünger des Herrn, der mit der Mutter unter dem Kreuz stand.

1,2 Was Johannes geschaut hat, ist Offenbarung Jesu Christi, stammt vom Vatergott und wurde vom Engel, als Vertreter des Heiligen Geistes, vermittelt. So steht am Anfang der Apokalypse die göttliche Trinität als die Schau bezeugend und als zeitlos gültig. Darum kann Johannes seinerseits bezeugen: Gottes Wort, das Zeugnis Jesu Christi und den Inhalt der Schau; und darum darf auch nichts hinzugefügt oder hinweggenommen

	werden. Einwände gegen die Echtheit der Visionen wurden von M. Rissi, 1965, S. 23 ff. zurückgewiesen. Vgl. Epilog, 22, 18 – 19.
1,3	*Lesen* meint ursprünglich vorlesen. Das Buch sollte auch heute und künftig immer wieder vorgelesen werden – für Hörende und das Gehörte Bewahrende: Lesen, Hören, Bewahren lautet der heilsame Dreischritt. *Selig ist.* Die erste der sieben Seligpreisungen der Apokalypse. Vgl. 14, 13; 16, 15; 19, 9; 20, 6; 22, 7; 22, 14.
–	*die hohe Zeit.* Der Kairós, hier: Die Zeit der Wiederkunft Christi. Vgl. 22, 10; auch 22, 7, 12, 20. – Für Jan Lambrecht, 1980, 78, endet hier der Prolog.
1,4	Die Apokalypse war wohl ursprünglich ein Rundbrief an die umliegenden Gemeinden von Ephesus, wo Johannes als Presbyter wirkte. Vgl. M. Karrer: Die Johannesoffenbarung als Brief, 1986. – Unter ‹Gemeinde› ist hier ein Freundeskreis zu verstehen; denn eine kirchliche Organisation gab es zur Zeit des Johannes nur in ersten Ansätzen.
–	*dem Seienden.* Der Vatergott, im AT Jahwe (von den Kirchenvätern mit Christus gleichgesetzt), der Vergangenheit, Gegenwart und Zukunft umgreift. Vgl. Ex 3, 14.
–	In den *sieben Geistern* offenbart sich der Heilige Geist mit seinen sieben Gaben (nach Jes 11, 2): Weisheit und Verstand, Rat und Stärke, Erkenntnis und Ehrfurcht, und – zusammenfassend – wahre Frömmigkeit.
1,5	*dem getreuen Zeugen.* ‹Martys› heißt sowohl Zeuge als auch Märtyrer. Vgl. Jo 18, 37 (Christus als Zeuge für die Wahrheit), auch Jo 14, 6. Die Bezeichnung «Jesus Christus» wird in der Apk (in der Versen 1, 2 und 5) 3-mal genannt – gegenüber 7-mal «Christus» und 14-mal «Jesus». Jesus = Hilfe, Rettung. Christus = Der Gesalbte.

- *dem Herrn der Könige auf Erden.* So auch 19, 16. – Christus wird hier dreifach näher benannt. Die Dreigliederung durchzieht – wie der Dualismus und der Siebenerrhythmus – die ganze Apokalypse, vergleichbar dem Johannesevangelium.
- *durch sein Blut.* Vgl. 5, 9 und Anm., 7, 14, auch Gal 2, 20.

1,6 «Ihr aber sollt Priester des Herrn heißen.» Jes 61, 6. Weil Gott Mensch wurde, steht jeder Mensch unmittelbar zu Gott – wie Er als König und Priester. Vgl. 5, 10.

1,7 Dn 7, 13. «Siehe, es kam einer mit den Wolken des Himmels wie eines Menschen Sohn.» Vgl. Sach 12, 10. Die Wiederkunft Christi erfolgt auf ätherischer Seinsebene. Das Thema wird am Ende wieder aufgegriffen (22, 7, 12, 20). Die Apk kann aufgefasst werden als Übungsbuch für das Schauen von Christi Wiederkunft.

- *die ihn durchbohrt.* Sach 12, 10. – Jo 19, 37.

1,8 *Ich bin* – ἐγώ εἰμι. – Alpha und Omega, erster und letzter Buchstabe des griechischen Alphabets. Vgl. 1, 17. – 2, 8. – 21, 6. – 22, 13. Wer das Alpha und das Omega ist, umfasst das ganze Alphabet: Er ist das Wort, das im Anfang war, der Logos des Urbeginns, nach Jo 1, 1, hier betont in Einheit mit dem Vater. Vgl. die sieben Ich-bin-Worte des Johannesevangeliums. – Was Gott ist, wird der Mensch sein: das ganze Alphabet.

- *der war / und kommen wird.* Vgl. 11, 17.

Der Auftrag an Johannes

1,9 Dieses Ich erlebt sich als Antwort auf das «Ich bin» des Herrn.

- *im Reich des Herrn.* Durch Teilhabe an der Königsherrschaft Christi.

- *in Erwartung Jesu Wiederkunft.* Nach Lohmeyer, S. 15: gemeint ist nicht «das Ertragen um Jesu willen ... sondern das Harren auf die Parusie». Vgl. Jo 21, 22 f. Johannes «bleibt» bis zur Wiederkehr.
- *Patmos.* Johannes war nach seinem Martyrium in Rom auf die Insel Patmos verbannt worden, wo er die Visionen der Apokalypse empfing. Johannes ist nicht der «Autor», sondern nur Zeuge der «Offenbarung Jesu Christi». – Luther, dem die Apk eher fremd blieb, zeichnete Briefe von der Wartburg mit «Patmos, den ...»
- *als Zeuge.* Christus bezeugt Gott (1, 5), Johannes bezeugt Christus. Wenn Johannes auf Patmos «als Zeuge» war, kann dies als Hinweis auf sein Martyrium verstanden werden. – Vgl. 11, 3 ff.

1,10 *am Tag des Herrn.* Sonntag, erster Tag der Woche, der an die Auferstehung erinnert. Christus ist der Herr der Sonne. Die ursprüngliche Bedeutung «Tag des Gerichts» bildet den Stimmungshintergrund. Das «im Geist sein» ist nicht mit vermindertem, sondern mit erhöhtem Bewusstsein verbunden.

1,11 Johannes hat die Offenbarung nicht für sich empfangen, sondern um sie der Menschheit, repräsentiert durch die sieben Gemeinden, mitzuteilen. Als Schriftsteller ist er Mitautor der Apokalypse. Der Inhalt – das Wort – stammt von Christus, die sprachliche Prägung von Johannes. Dass das Buch auch ein Kunstwerk ist, hat vor allem Ernst Lohmeyer herausgearbeitet. Das «Schreibe» wird wiederholt: 1, 19; 14, 13; 19, 9; 21, 5. – 10, 4: «Schreibe nicht.»

- In der äußeren Wirklichkeit waren es mehr Gemeinden oder Freundeskreise. Die Zahl Sieben enthält das Entwicklungsprinzip, das für alle Gemeinden gilt, im Grunde für die ganze Menschheit. In der Schau des

Johannes erscheinen die Gemeinden als die sieben Leuchter. Die Botschaft geht aber an die sieben Engel der Gemeinden, die Johannes als die sieben Sterne (Planeten) in der Hand des Menschensohnes erblickt.

1,12 *«Im Geist»* kann eine Stimme sichtbar werden.

Der Menschensohn als Priesterkönig und die sieben Leuchter

1,13 *Sohn des Menschen.* Vgl. 2, 18. – 14, 14. – Die Schau erinnert an die Vision des Daniel. Als Menschensohn bezeichnet sich der Christus selbst im Johannesevangelium 1, 51. 3, 13. 14 und öfter, auch in der synoptischen Überlieferung. Der Menschensohn ist der Christus als wahrer Mensch, siehe Band 2 (Wahr ist das Wort) . – Vgl. O. Cullmann, 1958, 138 – 198.

– *ein goldner Gürtel.* Kennzeichen des Priesters. Christus ist zugleich König und Priester. Vgl. 1, 6.

1,14 Vgl. Dn 7, 9. «Sein Gewand war weiß wie Schnee, sein Haar wie reine Wolle.»

1,16 Das Wort Gottes ist ein zweischneidiges Schwert, weil es die Wahrheit von Irrtum scheidet. Es ist eindeutig und unabwendbar gültig als Ausdruck des göttlichen «Ich bin». Vgl. 2, 16. – 19, 15. – Jes 49, 2. – Hebr 4, 12 und 11, 34.

– *wie die Sonne.* Vgl. die Beschreibung der Verklärung Christi bei den Synoptikern, Mt, Mk, Lk, siehe Krüger, 2003 – Auch Luther hat Christus als Sonne bezeichnet.

1,17 Ch. Brütsch zitiert Dante, Inf. 5, 12: «E caddi come corpo morte cade.»

– *Ich bin* – ἐγώ εἰμι – das große «Ich bin» wie im Johannesevangelium. Vgl. 1, 8. – 21, 6. – 22, 13.

1,18 *der Lebendige.* Vgl. Jo 5, 26.

- *Zeitenkreise.* Unter Äonen verstand man im Altertum wesenhaft gedachte Zeitenkreise. In der Doppelung ist hier die Ewigkeit gemeint, die im Deutschen keinen Plural verträgt; daher die Übersetzung: «in Ewigkeit, durch Zeitenkreise».
- *Die Schlüssel trage ich / des Todes und der Hölle.* Erinnerung an Auferstehung, Tod und Höllenfahrt Christi auf Golgatha, 3.–5. April des Jahres 33.

1,19 «Was ist» kommt in den anschließenden sieben Sendschreiben zur Sprache. Das Kommende ist Inhalt der c. 4–22 (vgl. Lohse, 1965).

1,20 R. Steiner hat die sieben Sendschreiben den sieben «nachatlantischen» Kulturepochen zugeordnet: Ur-Indien – Ephesus; Ur-Persien – Smyrna; Ägypten, Chaldäa – Pergamon; Griechenland, Rom – Thyatira; Gegenwart – Sardes; sechste Kulturepoche – Philadelphia; siebente Kulturepoche – Laodicea. «Alles das, was etwa verknüpft ist mit dem Rassenbegriff, ist noch Überbleibsel des Zeitraumes, der dem unseren vorangegangen ist, des atlantischen. Wir leben im Zeitraum der Kulturepochen ... Darin bestand der Übergang von der atlantischen Zeit zur nachatlantischen, dass der Blick der Menschen von der geistigen, astralisch-ätherischen Welt abgeschlossen und beschränkt wurde auf diese physische Welt.» (20. 6. 1908, GA 104) Der nachatlantische Zeitraum wird mit dem Ende der siebenten Kulturepoche im «Krieg aller gegen alle» zugrunde gehen – wie die «atlantische Zeit» in der großen Flut. In GA 8, 1910, vermeidet Rudolf Steiner das Wort «*Gemeinde*» und übersetzt «Gemeinschaft».

- Die *sieben Leuchter* oder «sieben Lichter» sind für R. Steiner sieben verschiedene Wege, «um zum Göttlichen zu gelangen» (GA 8, 134). – Klopstock:

Zu Kapitel 2

Der Messias (1773), 1, 578–580: «in heiliger Stille / Schimmern die Leuchter im Silbergewölk; bei tausenden tausend / Schimmern sie, Vorbilder der gottversöhnten Gemeinen.»

Die Botschaften an die Engel der sieben Gemeinden

2

Ephesus

2,1 *Engel* sind von Gott geschaffene unkörperliche Wesenheiten, vgl. Sth, I, 50, 1 ff. Der *Engel der Gemeinde* repräsentiert das höhere Selbst aller Mitglieder des Freundeskreises, die darum auch wirklich alle die Botschaft erhalten. Die sieben Briefe sind ein Aufruf zur Selbsterkenntnis – damals wie heute. Der Inhalt der Briefe stammt vom Menschensohn; Johannes ist sein Schreiber. – Die sieben Engel der sieben Gemeinden sind von den sieben Geistern vor Gottes Thron zu unterscheiden. – Romano Guardini hat die Gemeinde-Engel als «Bischöfe» gedeutet und damit die spirituelle Dimension verfehlt (Der Herr, 1938, 722 f.). Geistige Botschaften (Offenbarung) können nur über Engel vermittelt werden, auch wenn sie im Buch stehen, das von einem Boten überbracht wird. – E. Lohmeyer, 1953: «Die Schreiben in c. 2 und 3 sind alles andere als Briefe. Keine briefliche Form, keine briefliche Situation, kein brieflicher Austausch ist in ihnen zu finden.» – *Ephesus* war die Hauptstadt der römischen Provinz Asia und ein Zentrum der griechischen Bildung, in der die große Göttin Artemis als Mutter und Jungfrau verehrt wurde. Johannes war mit Maria dorthin gezogen. Beide sind dort auch gestorben. Die christliche Gemeinschaft war von Paulus gegründet worden.

2,4 *deine erste Liebe.* Die Liebe zur Geistwelt. – Bock, 1951: Liebe zur Erde. Schlatter, 1923: Liebe der Christen untereinander.

2,7 Vgl. Mk 4, 9. «Wer Ohren hat, zu hören, der höre.»

– *was der Geist / sagt den Gemeinden.* Siebenfach gebrauchte Formel. Der Geist, personal gedacht, ist identisch mit dem Heiligen Geist, von dem Johannes im Evangelium schreibt. Der Geist belehrt: die betreffende Gemeinde und darüber hinaus jeden, der Ohren hat und hört.

– *in Gottes Paradies.* ‹Paradies› heißt Garten. In der frühen Christenheit bezeichnete man damit nicht den Endzustand der Erlösten, sondern eine Durchgangsstufe beim Aufstieg der Seele in die höhere Geistwelt. Nur so ist das Wort Christi zum guten Schächer zu verstehen: «Heute wirst du mit mir im Paradiese sein.» Lk 23, 43.

Smyrna

2,8 Zu Smyrna erlitt Bischof Polykarp am 23. Februar 155 den Märtyrertod, nachdem er «86 Jahre dem Herrn gedient hatte» (Fischer: Die apostolischen Väter, 1993, S. 231). Er wurde vermutlich von Johannes als Bischof eingesetzt. Gegründet wurde die Gemeinde von Paulus. Ein kurzes Sendschreiben ohne Tadel.

2,9 ‹Synagoge› = Gemeinde.

2,10 *zehn Tage lang.* Die Zahl Zehn steht hier für die Zeit der Menschwerdung.

– *den Kranz.* στέφανος = Siegeskranz.

2,11 *Wer überwindet.* ὁ νικῶν
— *vom zweiten Tod.* Vgl. 20, 6. 15; – 21, 8. Nach R. Steiner (GA 104, 3. Vortrag, 20. 6. 1908) wird den «zweiten Tod» erleiden, wer nicht aus dem Erdenleben geistige Früchte mit hinüberbringt in die Geistwelt. – Franz von Assisi (1181 – 1226): Sonnengesang, Übers. Brentano/Lehrs: «Und selig die, so in dem Herren sterben / ohn Furcht noch Grau'n, / sie werden froh die Ewigkeit erwerben / und keinen zweiten Tod mehr schau'n.»

Pergamon

2,12 Pergamon war ein Zentrum der griechischen Götterverehrung und des römischen Kaiserkultes. Auch die Nikolaiten fanden hier offenbar großen Zulauf. In der Stadt befand sich die – nach Alexandria – zweitgrößte Bibliothek der Antike (200 000 Buchrollen) und ein bedeutendes Äskulapheiligtum. – Nach Steiner bezieht sich das Sendschreiben auf die ägyptisch-chaldäische Kulturepoche, die durch Astrologie gekennzeichnet ist.

2,13 *beim Throne Satans.* Die Christen in Pergamon waren durch Gegner besonders gefährdet. Der Tod eines Christen (Antipas) ist nur ein Beispiel – Zeuge auch er (vgl. 1, 5. – 1, 9. – 6, 9).

2,14 Num 25, 1–2; – 31, 16. Die «Lehre Bileams» betrifft das Gebiet der schwarzen Magie. Bock, 1951, 51, erinnert an die «Zungenredner», vor denen auch Paulus gewarnt hat. – Steiner: «Lehre der Volksverschlinger» (20. 6. 1908).

2,15 Ein gewisser Nikolaos gilt als Gründer einer libertinistischen Sekte im Umkreis von Ephesus.

2,17 *geheimes Manna.* Himmelsnahrung. – Nach R. Steiner Hinweis auf die Katharsis: Umwandlung des Seelenleibes in Manas = Geistselbst (GA 104, 3. Vortrag).

– Der *weiße Stein* erinnert an Christus als den «Eckstein». Er ist Zeichen der Erlösung. – Nikolaus von Kues (1401–1464) hat in Predigt CXXVI beispielhaft auf Petrus hingewiesen: «Petrus kommt von ‹petra›, und ‹petra› heißt Stein. ‹Dem, der siegt, werde ich einen Stein geben.› Wenn Simon siegt, weil er jenes bekennt, was jenseits dieser Welt liegt, was ihm weder Fleisch noch Blut offenbaren konnten (Mt 16, 17), dann wird er Petrus. Denn es wird ihm ein leuchtender Stein gegeben, nach dem er benannt werden wird.»
– Der *neue Name* ist der wahre Name als Wesensausdruck. Nikolaus von Kues, Predigt CXXVI: «Ein Name ist nämlich allen Dingen eingeschrieben, und wer auch immer eine Sache geistig empfängt, findet ihren Namen in der Sache, weil der Name der Begriff der Sache ist. Wenn der Intellekt empfängt, dann erkennt oder versteht er. Zugleich mit der Sache empfängt er den Namen. Andernfalls würde er nicht empfangen, wenn er nicht zugleich den Namen in der Sache sähe, die er empfängt. Paulus hat also einen Stein empfangen und sah seinen Namen, aber er vermochte ihn nicht zu enthüllen, weil es nicht möglich ist, dass er enthüllt wird außer von dem, der den Stein aufnimmt.» Einem anderen ist er nicht mitteilbar. Er müsste selbst «den Stein» als seinen Stein empfangen.

Thyatira

2,18 Thyatira war vor allem eine Stadt des Handels und des Handwerks. – R. Steiner sieht in diesem Sendschreiben eine Beziehung zur griechisch-römischen Kulturepoche, in der das Persönlichkeitsprinzip hervortrat.
– *wie von Golderz.* Vgl. 1, 13. – 14, 14.

2,20 *das Weib Isebel.* Der Name erinnert an Isebel, die niederträchtige Frau des Königs Ahab, Gegnerin des Elias, die in Israel den Baalskult einführte und am Tod Naboths die Schuld trägt (1 Kön). – E. Bock, 1951, 52: Sibyllenwesen.

2,27 Vgl. 12, 5. – 19, 15.

2,28 Mit dem *Eisenstab* erhält er die Kraft des Mars, mit dem *Morgenstern* die Kraft der Venus. Die Macht, Völker zu beherrschen verleiht Jupiter – hier im Auftrag Christi. Am Ende bezeichnet sich Christus selbst als Morgenstern (22, 16). – R. Steiner sieht in der Venus den okkulten Merkur. Mit Mars sei die erste Hälfte, mit Merkur (Morgenstern) die zweite Hälfte der Erdentwicklung gemeint: «Ich habe deinem Ich gegeben die Richtung nach aufwärts, dem Morgenstern, dem Merkur.» (GA 104, 3.Vortrag).

3

Sardes

3,1 *Sardes* war die Metrópolis Lydiens. – Nach Steiner bezieht sich das Sendschreiben auf die gegenwärtige Kulturepoche, «wo der Mensch der Sklave ist der äußeren Verhältnisse, des Milieus ... und der Materie» (GA 104, 3. Vortrag, 20. 6. 1908).

– *jene sieben Geister Gottes.* Vgl. 1, 4. – 4, 5. – 5, 6. Die sieben Geister Gottes sind nicht die sieben Engel der sieben Gemeinden; sie wirken aber in ihnen. Sie repräsentieren den Heiligen Geist als dritte Hypostase der Gottheit.

3,3 *was du empfangen und gehört.* Das Evangelium.
- *wende dich um.* So hat Johannes der Täufer gesprochen.
- *Wenn du nicht wach wirst.* Gemeint ist geistige Wachheit. In der Vergangenheit war Sardes wiederholt erobert worden, weil die Einwohner sich sicher dünkten und versäumt hatten, Wachen aufzustellen.
- *dir bleibt unbekannt.* Vgl. 16, 15 und 1 Thess 5, 2.
3,4 Weiß ist die Farbe der Reinheit. Die weißen Gewänder deuten auf verklärte Leiblichkeit. – Vgl. 7, 9. – Agrippa d'Aubigné (Les Tragiques, 7. Buch, Gericht): «Car, s'ils doivent beaucoup, Dieu leur en a faict don; / Ils sont vestus de blanc et lavez de pardon.» (Hinweis von Ch. Brütsch).

Philadelphia

3,7 Philadelphia wurde erst um 140 v. Chr. gegründet. Dort lebten viele Juden und wenige Christen. Der Brief enthält nur Lob, keinen Tadel, wie jener an den Engel der Gemeinde zu Smyrna. – Die christliche Stadt behauptete sich gegen den Islam bis in die Mitte des 14. Jahrhunderts.
- ὁ ἀληθινός = der Wahrhaftige; wahr im Sinne von wirklich.
- *Schlüssel Davids.* Jes 22, 22. «Ich lege ihm (Eljakim) den Schlüssel des Hauses David auf die Schulter. Wenn er öffnet, kann niemand schließen; wenn er schließt, kann niemand öffnen.» Die Schlüsselgewalt Christi bezieht sich auf die Geistwelt, in der das Ich sein höheres Ich findet. Nach Steiner bezieht sich dies auf die «sechste Kulturepoche», die der jetzigen folgen wird. – Vgl. 5, 5.
3,9 *Dich habe ich geliebt.* Vgl. 1, 5. Jes 43, 4.
3,11 *ich komme bald.* Vgl. 22, 7. 12. 20.

3,12 Eine *Säule* im Tempel hat tragende Funktion und kann nicht entfernt werden.
– Den *neuen Namen* kennt nur, wer ihn trägt.

Laodicea

3,14 Laodicea war die reichste Stadt in Phrygien, ein Zentrum von Handel und Handwerk. Vgl. Paulus, Kol 2, 1: «Ihr sollt wissen, was für einen schweren Kampf ich für euch und für die Gläubigen in Laodicea zu bestehen habe.»
– ἀμήν bedeutet: wahrlich, gewiss. Vgl. 2 Kor 1, 20. – R. Steiner sieht in «dem Amen» denjenigen, «der in seiner Wesenheit die Wesenheit des Endes darstellt». (20.6.1908, GA 104).
– *der treu ist und wahrhaftig.* Vgl. 19, 11 (sein Name).
– *der Anfang aller Schöpfung Gottes.* Christus als das Wort und die Weisheit. Spr 8, 22; – Weish 9, 1; – Jo 1, 1-3; – Hebr 1, 2.

3,16 Die Lauen vermeiden die Schärfe des zweischneidigen Schwertes. Die zwei Seiten des menschlichen Ich – als gefallenes Abbild des göttlichen Urbildes – sind Egoismus und Liebe. Der Egoismus sollte nicht vermieden, sondern in Liebe umgewandelt werden. Die Menschheit wird sich zwischen Philadelphia und Laodicea entscheiden müssen. Die ersten fünf Gemeinden haben jeweils gute und böse Mitglieder. Philadelphia wird im Ganzen gerettet (vielleicht auch Smyrna) – und Laodicea offenbar im Ganzen ausgespien. Doch bleibt auch für die Gemeindemitglieder von Laodicea vorerst noch der Weg der Umkehr.

3,18 *geläutert Gold zu kaufen.* Das Gold der Weisheit. Im Gold offenbart sich Christus.

3,20 *und mit ihm speisen.* καὶ δειπνήσω μετ' αὐτοῦ.

3,22 «Herr über seine Gemeinde bleibt der Christus, wirksam in der irdischen Gestalt der Gemeinden wird er durch das Pneuma.» Holtz, 1962, 211.

Die Eröffnung des siebenfach versiegelten Buches

4

Der Thronende

4,2 *Im Geist:* Der Körperlichkeit entrückt, vgl. 2 Kor 12, 2 – 4.

4,3 *Der Thronende* repräsentiert den Vatergott, der nicht unmittelbar geschaut werden kann. Sein Abglanz wird vom Seher mit rötlich schimmernden Quarzsteinen, Jaspis und Sarder, beschrieben. Blutjaspis ist grün mit roten Einsprengseln.

- Der *Regenbogen* galt schon immer als Tor zur Geistwelt. – R. Steiner: «Nach der Flut (‹Sintflut›) sieht die Menschheit den ersten Regenbogen. Früher war er physikalisch nicht möglich.» (23. 6. 1908, GA 104).
- Das Grün des *Smaragds* hat eine besonders starke und edle Leuchtkraft.

4,4 Die *Ältesten* – das sagt ihr Name – repräsentieren die Vergangenheit, so weit sie der Geist bewahrt. Die Zahl 24 ist als 2 + 4, also 6 zu lesen: die Zahl des Kosmos. Sie hat ihre Entsprechung in den 24 Flügeln der Vier Wesen (Cherubim). Rissi, 1965, sieht in den 24 Ältesten Engelwesen, weil sie die gleiche Aufgabe haben: Sie kommentieren Ereignisse, vermitteln Gebete und begleiten den Weg der Schöpfung von Anfang bis Ende. R. Steiner nennt sie die «vierundzwanzig Regler der

Weltenumläufe, der Weltenzeiten». (19. 6. 1908) – Das griechische Alphabet hat 24 Buchstaben, der Tag 24 Stunden. Gewisse Gnostiker lesen die 24 als 9+8+7 «Ewige».

4,5 *Blitze, Wort und Donner* sind Kennzeichen der ersten Hierarchie: Seraphim, Cherubim, Throne, die unmittelbar vor der göttlichen Trinität stehen.

– Die *sieben Geister Gottes* repräsentieren die Fülle des heiligen Geistes. Vgl. Jes 11, 2. E. Bock, 1951, S. 63, sieht in ihnen die sieben Elohim, mit denen Gott die Welt schuf. Holtz, 1962, S. 138: 7 Erzengel (Thronengel). – Vgl. 1, 4. – 3, 1. – 5, 6.

4,6 Im *gläsernen Meer* schaut Gott seine Schöpfung wie in einem durchsichtigen Spiegel. – R. Steiner: das «Mineralreich in seiner ersten Gestalt» (GA 104, 5. Vortrag). – Vgl. 15, 2.

– Der Thron erhebt sich aus dem gläsernen Meer: Einen mittleren Kreis bilden die «vier Wesen», den äußeren Kreis die «24 Ältesten».

4,7 *vier Wesen:* Cherubim, Ez 1, 5 – 21. Nach Origenes repräsentiert der Stier das unterste Seelenglied, in dem sich leidenschaftliches Begehren zeigt, das sich aber von der ersten zur zweiten Vision des Ezechiel wandelt zum geisterfüllten Willen. Im Bild des Löwen zeigt sich die zornmütige Seele, die zu gereinigten Gefühlen aufsteigt. Das Menschenantlitz offenbart Verstand; und der Adler repräsentiert den Geist, der sich im Ich individualisiert. Vg. M. Krüger: Ichgeburt, 1996, S. 93 – 98. In der christlichen Überlieferung wurden die vier Wesen den vier Evangelisten zugeordnet: Matthäus – Mensch (Engel); Markus – Löwe, Lukas – Stier, Johannes – Adler. – R. Steiner spricht von «vier Gruppenseelen» der Urmenschheit, als «unsere Erde eine viel weichere Materie hatte als heute». (19. 6. 1908, GA 104)

4,8 M. Frensch, 2004, 170: «Drei Flügel der Hineinwendung oder Involution und drei der Herauswendung oder Evolution ... Daher gibt es 4 x 3 = 12 Flügel des Tages und 4 x 3 = 12 Flügel der Nacht. Und diesen je zwölf Arten der Wahrnehmung von Hineinwendung und Herauswendung entsprechen zwölf Antlitze oder Aionen des kosmischen Tages und zwölf Antlitze oder Aionen der kosmischen Nacht.»

– *der Allbeherrscher* – Pantokrator. Der Ausdruck kann sich sowohl auf den Sohngott als auch auf den Vatergott beziehen. Hier ist es der Vater. Vgl. 1, 8. – 19, 6 – 19, 15 – 21, 22.

4,11 *Es war:* in seinem Wesen.

– Vgl. Brahms: Deutsches Requiem, VI.

5

Das Buch mit den sieben Siegeln

5,1 In dem Buch sind die Schicksale der Menschen – die Menschheitsgeschichte – verzeichnet. Es ist vom Buch des Lebens (20, 15. 21, 27) zu unterscheiden. Nach ihren Taten werden die Menschen gerichtet. – Zur Entstehungszeit der Apokalypse war unter «Buch» eine Papyrus-Buchrolle zu verstehen.

– Das Buch ist imaginativ (von außen) und inspirativ (von innen) zu verstehen. Die Versiegelung kann nur in der unio mystica (Intuition) geöffnet werden – im Einswerden. Vgl. 10, 9 f.

5,2 *Wer hat die Würde.* ἄξιος – würdig. E. Lohmeyer, 1953,

53: «Um den Begriff von ἄξιος dreht sich die ganze Vision.»

5,4 *Ich weinte sehr.* Christus weinte bei der Erweckung des Lazarus (Jo 11, 35), Maria Magdalena am leeren Grab.

5,5 «Juda ist ein junger Löwe.» Gen 44, 9. – IV Esra 12, 31 wird die Gestalt eines Löwen als Messias gedeutet. – Das Sternzeichen des Löwen wird von der Sonne beherrscht: Christus ist der neue Gott der Sonne.

– *die Wurzel Davids.* Christus ist – seiner Erdenleiblichkeit nach – aus dem Geschlecht Davids hervorgegangen. Die Wurzel Davids ist er unter dem Gesichtspunkt der Prae-Existenz. Vgl. Jo 8, 58: «Ich bin, / bevor noch Abraham geboren wurde.»

– *hat gesiegt.* M. Rissi, 1966, 68, hebt hervor, dass Johannes das Wort ‹siegen› «in der hier in Offb. 5,5 und 3,21 erscheinenden Form *ausschließlich auf Christus*» bezieht: «ohne Objekt und im Aorist, jener griechischen Aussageweise, welche die angezeigte Handlung als eine *einmalig* in der Vergangenheit *vollendete* Aktion bezeichnet. Christus hat in einem bestimmten historischen Augenblick, in den heiligsten Stunden der Menschheitsgeschichte, einmal für immer schlechthin *alles* überwunden, was Gott widerstrebt! Sein Sieg ist auch von den ‹Siegen› der Feinde nicht mehr einzuholen.»

5,6 ἀρνίον. Christus ist *das Lamm,* das auf Golgatha geschlachtet wurde zum Heil der Menschheit. Vgl. Jo 1, 29. 36 (ἀμνός). – Nach Lohmeyer, 1953, 53, wird Christus in der Apk 29-mal mit dem Bild des Lammes bezeichnet.

– *gesandt über den Erdkreis.* Durch die Siebenzahl ist das Lamm dem Siebener-Rhythmus der Evolution zutiefst verbunden. «Hörner» sind geistige Wahrnehmungsorgane, siehe Moses. Die sieben Geister Gottes, vgl. 1, 4, lenken die Evolution im Sinne des Lammes. Vgl. Sach 4, 10 (Jene sieben sind des Herren Augen, die alle Lande durchziehen).

5,9 Das *neue Lied* handelt vom Opfer des Lammes und von der Sendung des Geistes, durch die der Sinn des Opfers verständlich wird.

– Ch. Brütsch hat an Margarete von Navarra, 16. Jh., erinnert. Sie schreibt im Oraison de l'âme fidèle: «Chair tu t'es fait, ô tres vive Parole / Pour notre chair toute en toy transformer... – Du Wort des Lebens wurdest Fleisch, / um unser Fleisch ganz in Dich umzuwandeln.»

– *durch dein Blut*. R. Steiner hat am 23. Juni 1908 betont, dass sich die Erdenaura verwandelt hat, als das Blut aus den Wunden des Erlösers floss: «Es tritt eine ganz neue Kraft ein, jene Kraft, die der wichtigste Impuls für die Erdenentwicklung ist ... Die Erde ist der Leib dieses Christusprinzips geworden.» Dadurch sind die Menschen in Stand gesetzt, ihr Ich mit der Kraft des höheren Ich zu erfüllen, so dass, wie es Paulus verkündet hat, vergängliche in unvergängliche Leiblichkeit verwandelt wird. – Vgl. 1,5 und 7,14.

5,10 Vgl. 1, 6. – Codex Alexandrinus, auf den M. Karrer nachdrücklich hinweist: Sie herrschen auf Erden. Durch den Heiligen Geist wird die Zukunft zur Gegenwart. Sie herrschen, und sie werden herrschen.

5,11 Myriade = Zehntausend.

6

Die Eröffnung der ersten sechs Siegel

6,2 Die Farben der *vier Pferde* sind symbolisch zu verstehen: Weiß – Sieg; Rot – Gewalt; Schwarz – Tod; die fahle, gelb-grünliche Farbe bedeutet Verwesung.

– Der *weiße Reiter* überzieht die Erde mit Krieg und bleibt immer Sieger. Er ist von jenem in 19,11 f. zu unterscheiden. Er trägt den Kranz des Sieges (στέφανος), jener viele Königskronen (διαδήματα πολλά). Das weiße Pferd und der Bogen sind militärische Siegeszeichen. Der weiße Bogenreiter ist mit den drei folgenden Reitern in Einheit zu sehen. Er repräsentiert die Sieger auf Erden. Der wahre Sieger ist am Ende der Christus. Aber hier kann er schon deshalb nicht gemeint sein, weil es keinem der «vier Wesen» zusteht, dem Christus zu befehlen. – M. Rissi, 1966, bezeichnet diesen weißen Reiter als «Anti-Christus».

– *ward ihm gegeben*. «passivum divinum»: «ein göttliches Passiv, denn der Geber ist Gott selbst.» (M. Rissi, 1966).

6,4 Der *rote Reiter* sorgt für Bürgerkrieg, Familienfehden, Aufstände und damit für den Untergang durch Zwistigkeiten der Menschen untereinander.

6,5 *Die Waage* ist hier Symbol der Teuerung, die zum Hunger und am Ende zum Tode führen wird.

6,6 Das Öl der Salbung repräsentiert nach 1 Jo 2,20 den Heiligen Geist. Christus ist nach Jo 15,1 und 5 der wahre Weinstock.

6,8 Die *vier apokalyptischen Reiter* bilden eine Struktureinheit, so dass die sieben Siegelvisionen in 4 und 3 gegliedert sind. – Rudolf Steiner, 1908, hat mit Blick auf die griechische Mythologie auf den Zusammenhang des Pferdes mit der menschlichen Intelligenz aufmerksam gemacht. Daran anknüpfend kann man im Bild der vier Reiter vier Qualitäten des Denkens unterscheiden: treffendes (Pfeil), unterscheidendes (Schwert), vergleichendes (Waage) und totes, an die Materie gebundenes Denken.

6,9 *als treue Zeugen.* Vgl. 2, 13. – Die *Eröffnung des fünften Siegels,* mit Blick auf jene, die auf Erden zu Unrecht gelitten haben und nun mit weißen Gewändern angetan werden, bringt eine Pause in den apokalyptischen Plagen.

– Ein *Altar im Himmel* wird in der Apk, nach Lohmeyer, sieben Mal erwähnt.

6,14 Die schwarze Sonne, der blutrote Mond, der Sternenfall, der zusammengerollte Himmel und die Bewegung von Bergen und Inseln sind Bilder, die auch sonst in der apokalyptischen Literatur zu finden sind als Ankündigung des Weltuntergangs. Amos 8, 8 f., – Joel 3, 4, – Henoch 2, 1, – Jes 34, 4, – Jer 4, 24.

6,15 Die Menschheit erscheint hier gegliedert in 5 und 2.

6,16 Zorn ist von Hass zu unterscheiden: Zorn führt zum Guten, Hass zur Vernichtung. Zorn haben beide: Vater und Sohn.

7

Die Beruhigung der Winde und die Versiegelung der Getreuen

7,1 *Vier Engel:* Wohl entsprechend der Überlieferung Michael, Gabriel, Raphael und Uriel. – Victor Hugo sieht das Bild bei der Kreuztragung: «Quatre anges se tenaient aux quatre coins du monde; / Ces anges arrêtaient au vol les quatre vents, / pour qu'aucun vent ne pût souffler sur les vivants, / ni troubler le sommet des montagnes de marbre, / ni soulever un flot, ni remuer un arbre.» (La marche au supplice, 1860).

- *vier Winde.* Die Winde sind Wesenheiten: Windgötter. Vgl. Dn 7,2 : «Die vier Winde des Himmels wühlten das große Meer auf.» – Auf Darstellungen von Christus im Seesturm sieht man Windgötter bis in die Zeit des Barock (Vgl. Krüger, 2010).

7,2 *das Siegel des lebendigen Gottes.* Vgl. Jo 6, 57 (Vater des Lebens).

7,3 Wer Gottes Siegel trägt, steht unter Gottes Schutz.

7,4 144000 ist die höchst vollkommene Zahl: 12 x 12 x 1000.

- Die *zwölf Stämme* repräsentieren die Menschheit, wie im Kosmos die zwölf Tierkreiszeichen.

7,9 Das *weiße Gewand* ist Zeichen der reinen Seele, der *Palmzweig* Zeichen des Sieges im Geist. Vgl. 6, 11.

7,14 Das auf Golgatha in die Erde geflossene *Blut Christi* hat die Grundlage geschaffen, dass nicht nur die Seelen, sondern auch die Leibesglieder vergeistigt werden können. Daher heißt es: «Sie werden nicht mehr hungern, dürsten» – aber nicht ohne Zutun des Menschen: Sie müssen ihre Kleider selber waschen. Vgl. 1,5 und 5,9 und Anm.

7,17 Jo 10, 11 «Ich bin der gute Hirte.» Jo 4, 14 (Christus hat das Wasser des Lebens).

8

Die Eröffnung des siebenten Siegels

8,1 *Das Schweigen* entspricht der Stille, die dem Orkan vorangeht. Es spiegelt sich das große Schweigen, in das hinein die sichtbare Welt versinken wird, um dann als neue Welt daraus wieder hervorzugehen. Vgl. David: «Bevor die Welt entstand, war Finsternis und Schweigen.» – 4 Esra, 7, 30 f.: Die Welt wird sich «zum Schweigen der Urzeit wandeln».

– *die Hälfte einer Gottesstunde.* Wörtlich: eine halbe Stunde. Der Ausdruck «Stunde» ist eschatologisch zu verstehen, also nicht als Uhrzeit, die an den irdischen Raum gebunden ist. Vgl. M. Rissi, 1965, S. 10 f.

8,5 Vom Feuer auf dem Altar geht eine Doppelbewegung aus: nach oben das Heil, nach unten Vernichtung. – Vgl. Lev 16,12.

8,6 Während die sieben Siegel mehr die Bildebene im Erkenntnisleben anregen, deuten die *sieben Posaunen* auf inneres Hören (Inspiration). Die Welt wird Klang. Gleichwohl bleibt allgemein die Dominanz der Bilder bis zum Ende.

– «Die sieben Posaunen stehen als die große Sonnenrunde des Werdens im Herzen der Apokalypse, zwischen der Mondenrunde der Siegel und der Saturnrunde der Zornesschalen.» (E. Bock, 1951).

Zu Kapitel 8 und 9

Die sieben Engel mit den sieben Posaunen

Die ersten sechs Posaunen

8,13 *Wehe! Wehe! Wehe!* Der dreifache Ruf des Adlers gliedert die Folge der sieben Posaunenstöße – entsprechend den Siegelvisionen – in 4 und 3. – E. Lohmeyer sieht im Bild des rufenden Adlers ein Engelwesen.

9

9,1 *Und ich sah einen Stern.* Sterne sind in der Sicht des Johannes (wie allgemein im Altertum) Wesenheiten.
– Der *Abgrund* als Ort der Strafe wird besonders eindrucksvoll im Buch Henoch geschildert.
9,3 *Skorpione.* Vgl. Joel 3, 1-2.
9,5 *fünf Monde lang.* Fünf Monate wird als Lebensdauer der Heuschrecken angegeben (Lohmeyer).
9,6 Agrippa d'Aubigné: Les Tragiques (1616, ed. Charles Read, 1872; Paris 1959): «Que la mort (direz-vous) estoit un doux plaisir! / La mort morte ne peut vous tüer, vous saisir. / Voulez-vous du poison? en vain cest artifice. / Vous vous precipitez? en vain le precipice.» (Hinweis von Ch. Brütsch).
9,10 Ch. Brütsch erinnert an die visionären Darstellungen von Hieronymus Bosch.
9,11 *Apollýon.* Übers.: Verwüster und Zerstörer.

10

Johannes verschlingt das Buch

10,1 Es ist der Sonnenerzengel Michael, das «Antlitz Christi». Vgl. 1, 16. – Vgl. Mt 17, 2 (Verklärung Christi).

10,2 Land und Meer, Erde und Wasser, sind die unteren der vier Elemente, aus denen die beiden Tiere aufsteigen werden. Dem starken Engel sind die unteren Elemente fremd. Er kann sie nicht im Sein und Wesen durchdringen, sondern nur mit «Feuersäulen» auf ihnen stehen.

10,4 *Versiegle ... und schreibe nicht.* E. Lohmeyer spricht vom «Ausdruck eines prophetischen Bewusstseins. Der Dialog enthält ἄρρητα ῥήματα, von denen auch Paulus sagt, dass sie auszusprechen niemandem gestattet ist (2 Kor 12,4)».

10,6 *Die Zeit wird enden.* Chronos, bei Johannes ohne Artikel. Rissi, 1965, 29, meint, es gehe nicht um die Aufhebung der Zeit, sondern um das Ende einer «Verzögerungsfrist». Es gibt keinen Aufschub mehr. Doch wird wohl auch die Zeit enden. Entstehen und vergehen gehört zu ihrem Wesen. Wie sie entstehen und vergehen lässt, so entsteht und vergeht sie auch selbst. Sie wird aufgehoben in die Ewigkeit und tritt einst wieder hervor.

10,7 *Das Geheimnis Gottes* kann im Sinne der Menschheitsentwicklung erahnt werden unter den Begriffen Freiheit und Liebe.

10,9 *Nimm und verschling's!* λάβε καὶ κατάφαγε αὐτό. Mit dem Verschlingen des Buches vereinigt sich der Seher mit dem Geistgehalt des Buches. Das Einswerden deutet auf die höchste Stufe der Erkenntnis (Intuition, unio mystica). Vgl. Ez 3, 1-3. Das Buch enthält die Botschaft der Liebe und des Gerichts (Evangelium und Apokalypse).

10,11 Erneute Einsetzung des Johannes als Prophet. Seine Kunde ist nun intuitiv erfasst. – Vgl. 1, 11. Auch 14, 13; – 19, 9; – 21, 5.

11

11,1 *Tempel Gottes.* Nach M. Rissi, 1965, S. 101, ist kein äußerer Tempel gemeint, sondern die durch den Raum charakterisierte Gemeinschaft der Christen. – Vgl. Jo 4, 21 – 24 und 1 Kor 3, 16: «Wisst ihr nicht, dass ihr Gottes Tempel seid ...» Johannes und Paulus bezeichnen den menschlichen Leib als Tempel Gottes. Daran anknüpfend spricht Rudolf Steiner von «einem in allen Maßen stimmenden Tempel der Seele» als Evolutionsziel: «Dass die Seele das Richtige gemacht hat, wird dadurch zum Vorschein kommen, dass er gemessen wird, dieser Tempel Gottes.» (GA 104, 9. Vortrag, 26. 6. 1908). – Vg. Ez 40, 3.

11,2 *in zweiundvierzig Monden.* Vgl. die 42 Monate der Lästerung (13, 5). Die Endzeit, vom Christusereignis bis zum Gericht, beträgt dreieinhalb «Jahre»: Die Inkarnation des Logos bezeichnet die Mitte der sieben großen Zeiten der Evolution. Die Erde ist der vierte Zustand (Origenes: De Principiis, 3, 6; R. Steiner: Geheimwissenschaft, 1910).

KOMMENTAR

Die beiden Zeugen

11,3 *meine beiden Zeugen.* Der eine Zeuge ist zweifellos Elias. In dem anderen erblicken einige Henoch, die meisten Interpreten aber Moses; doch spricht aus meiner Sicht mehr dafür, dass der zweite Zeuge Johannes, der Apokalyptiker, selber ist. Vgl. 1, 2 und 9. Johannes stand unter dem Kreuz; und er ist dem Täufer eng verbunden, in dem nach Mt 17 der Geist des Elias wiedergekehrt ist. Vor allem aber: Elias ist der Prophet des Alten Bundes; Johannes ist der Prophet des Neuen Bundes. Vgl. auch 11, 8 und Anm. – Vorgeschlagen wurden auch Petrus und Paulus (Munck, 1950) und die Söhne des Zebedäus, Johannes und Jakobus (E. Hirsch, 1936) – Ch. Brütsch hat zum Vergleich an Solowjeffs Erzählung vom Antichrist erinnert, E. Bock an das Muspillilied (9. Jh.): «Da hörte ich sagen die Weltweisen, / dass der Antichrist mit Elias kämpfen wird... Sô daz Eliases pluot in erda kitriufit / sô inprinnant die pergâ ...» – In der Vision des Victor Hugo kämpfen drei Zeugen gegen den Antichrist: «Car Saint Jean n'est pas mort, l'effrayant solitaire; / Dieu le tient en réserve; il reste sur la terre / ainsi qu'Énoch le juste, et, comme il est écrit, / Ainsi qu'Élie, afin de vaincre l'Antechrist.» (La Légende des Siècles, I, Le Cèdre, 1858).

– *tausendzweihundertsechzig Tage lang.* 42 Monate, vgl. 13, 5.

11,4 *die zwei Olivenbäume.* Vgl. Sach 4, 3.

11,7 *das Tier.* Vgl. 17, 8. Das Tier aus dem Abgrund – der Antichrist – ist identisch mit dem Tier, das aus dem Wasser aufsteigt (13, 1).

11,8 Vgl. Weisheit 19. Mit der *großen Stadt* ist hier Jerusalem gemeint.

Zu Kapitel 11

- Das «*ihr Herr*» ist ungewöhnlich und setzt ein besonders enges Verhältnis Christi zu «seinen» beiden Zeugen voraus. Eher als auf Moses deutet dieser Sprachgebrauch auf Johannes. Vgl. 11, 3 u. Anm., auch 3 Jo 12 «Auch wir sind Zeugen.»

11,9 *Drei und einen halben Tag* lag Lazarus im Grabe. Vgl. auch Jonas 2, 1 (3 Tage, 3 Nächte).

11,11 *erfasste sie der Lebensgeist aus Gott*. Vgl. Ez 37, 5. – Hosea 6, 2: «Am dritten Tag richtet er uns wieder auf.» – Jo 11 (Lazarus).

Beim Schall der siebenten Posaune

11,15 Auch Paulus spricht von den *Posaunen* der Endzeit. In seiner Sicht werden beim Schall der letzten Posaune die Toten auferstehen: «und wir werden alle verwandelt werden.» 1 Kor 15, 22. – Die siebente Posaune leitet über zu den sieben Engeln mit den Schalen göttlichen Zorns.

- *sein Gesalbter.* ὁ χριστός – der Gesalbte (Messias, Christus). Die Bezeichnung wird 12, 10 und 20, 4. 6 wiederholt.

11,17 *der ist und war.* Gott ist nicht mehr der Kommende; er ist jetzt immer gegenwärtig. Vgl. 1, 4 und 8.

11,18 *die hohe Zeit*. Der Kairós – hier die Zeit des Weltgerichts am Ende der Zeiten.

11,19 Das Allerheiligste im himmlischen Tempel. Das irdische Gegenstück, der Salomonische Tempel zu Jerusalem, wurde im Jahre 70 vollständig zerstört. Die *Bundeslade* ist das Zeichen des Alten Bundes.

12

Die himmlische Frau und der Drache

12,1 Platon würde die himmlische Frau wohl «Weltseele» genannt haben. Die zwölf Sterne deuten auf den Tierkreis, wobei im Sinne des Johannes unter Sternen Engelwesenheiten zu verstehen sind. Vgl. 1, 20. – Die himmlische Frau wurde u. a. als Isis gedeutet, als Maria (Epiphanius, Augustinus), «Volk Gottes» (Brütsch), Israel (M. Karrer), Jungfrau des Tierkreises (E. Dupuis), Heiliger Geist (Simone Weil), oft als Ecclesia.

12,4 A. Schlatter hat in diesen Sternen gefallene Engel im Gefolge des Drachen gesehen.

12,5 Ps 2, 9. «Du wirst sie zerschlagen mit eiserner Keule.» Hier ist allerdings nicht von zerschlagen, sondern von weiden die Rede. – Hinweis auf den erwarteten Messias. – Nach Feuillet bezieht sich die Geburt auf Golgatha.

12,6 Der Wüsten-Ort ist im Himmel zu denken.
42 Monate = 3 ½ Jahre. Vgl. 11, 3. – 12, 14. – Dn 7, 25.

Michaels Kampf mit dem Drachen

12,7 «Michael» bedeutet «Wer ist wie Gott?» Vgl. M. Krüger: Michael, 2007.

12,9 Insofern der Drache, die alte Schlange, auch den Namen Teufel (diábolos = Durcheinanderwerfer, Verleumder) und Satan (= Widersacher, Ankläger) führt, ist er in der Schau des Johannes der Inbegriff des Bösen. – Vgl. Lk 10, 18: «Ich sah den Satan wie einen Blitz vom Himmel fallen.»

12,10 *der Ankläger*. Der Drache, die alte Schlange, verklagt

Zu Kapitel 12 und 13

die Menschen vor Gott seit dem Sündenfall. Er fordert Strafe für den Fall. Als Ankläger ist der Drache das Gegenbild des Heiligen Geistes, vgl. Jo 16, 7 – 11.

12,14 Dreieinhalb «Jahre». Vgl. 12, 6. – «Deutschland ist die Wüste, in welche das Weib der Offenbarung entflieht, deren Sohn, den sie mit großen Wehen gebiert, der Drache, der Widersacher, nachstellt.» (Schelling: Philosophie der Offenbarung).

12,16 Aus dem Bild wurde Wirklichkeit in der ersten Michaeloffenbarung in christlicher Zeit zu Chonae, nahe Laodicea und Kolossae. Vgl. M.Krüger: Michael, 2007. – E. Lohse hat an den griechischen Mythos erinnert: Der Python-Drache stellt Leto nach. Poseidon bringt die Bedrängte auf die Insel Ortygía, wo sie Apollon gebiert. Ähnliche Bilder kennt der ägyptische Mythos.

13

Das Tier aus dem Meer

13,1 Vgl. Dn 7, 2 – 7. – Das Tier aus dem Meer erweist sich durch sein Wirken als Antichrist im engeren Sinn.
– Das Tier ist dem Drachen nah verwandt, der auch zehn Hörner auf sieben Köpfen trägt. Aber das Tier hat zehn Diademe, der Drache nur sieben. Das Tier aus dem Wasser ist identisch mit dem Tier, das aus dem Abgrund aufsteigt (11, 7), auf dem auch die große Dame Babylon reitet (17, 3; 8). Das Wasser wurde in alten Zeiten als Abgrund erlebt.

13,4 *Wer ist dem Tiere gleich?* In Parallele zum Namen Michaels: Wer ist Gott gleich?

13,5 Die 42 Monate der Lästerung entsprechen den 42 Monaten (1260 Tagen) der Prophetie durch die beiden Zeugen (11, 3).

13,8 καταβολή – Niederwurf, grundlegende Umwendung. Luther, 1984: «vom Anfang der Welt an». Vgl. 17, 8. – Jo 17, 24.

13,10 *Kerker.* Jer 15, 2. Hinweis auf die Unabänderlichkeit des Schicksals.

– *mit dem Schwert.* Vgl. Mt 26, 52. Wer das Schwert nimmt, soll durch das Schwert umkommen. Petrus soll sein Schwert in die Scheide stecken.

– *Geduld* im Sinne von Ausharren.

Das Tier aus der Erde

13,11 Das zweihörnige Tier aus der Erde tritt späterhin als der «falsche Prophet» auf (16, 13; 19, 20; 20, 10). Damit wird das Tier aus dem Wasser zum «Tier» schlechthin. Der Drache, der auch Teufel und Satan genannt wird, das Tier aus dem Wasser und der «falsche Prophet», in den sich das Tier aus der Erde verwandelt, bilden das dreifache Böse als Gegenbild zur göttlichen Trinität.

– *Doch sprach es wie ein Drache.* Das zweihörnige Tier erweist sich als das für den Menschen gefährlichste. Es redet mit der Klugheit des Drachen und tritt in Gestalt des Lammes auf. Als falsches Lamm steht es gegen den Vater. Der Drache und das Tier aus dem Wasser sind leichter in ihrer bösen Wirkung zu durchschauen. Das Tier aus der Erde ist der Geist der Lüge und der Verstellung, der die Menschen veranlasst, das Tier aus dem Wasser anzubeten.

13,16 Sie geben sich selbst das Zeichen des Tieres. Sie haben die Freiheit, der Anordnung zu widerstehen.

13,17 «oder die Zahl des Namens» ist nach Rissi ein späterer Zusatz.

13,18 Die Weisheit ist hier verborgen.
- Christus ist der Menschensohn. Darum ist auch die Zahl des Antichrist eines Menschen Zahl.
- 666 ist die Summe der Zahlen von 1 – 36 und 36 die Summe der Zahlen von 1 – 8 («Dreieckszahl». Lohmeyer, 1953, S. 118 f.). Wer 666 heißt, ist der Achte. Der Achte ist aber das Tier (nach 17, 11), das den Siebener-Rhythmus der Evolution stört. – Bousset, Charles u. a. lesen die Zahl als Nero redivivus. Lohmeyer meint, in der Zahl 666 müsse «religiöser Sinn für den Pneumatiker enthalten sein; sie kann nicht einfach einen geschichtlichen Namen verhüllen wollen». – R. Steiner liest 666 als «Sorat» = «Sonnendämon» (GA 104, 1962, S. 228).

14

Das Lamm auf dem Berge Zion

14,1 *Das Lamm.* ἀρνίον. c. 14 zeigt eine klare Dreigliederung: 1 – 5, 6 – 13, 14 – 20.
- *Hundertvierundvierzigtausend.* 144 ist als 12 x 12 oder als 1+4+4 zu lesen.

14,4 Es handelt sich nicht um eine Stellungnahme gegen die Ehe, sondern gegen Ehebruch. Vgl. Mt 19, 4 – 6 (Was Gott zusammengefügt hat, soll der Mensch nicht scheiden) und Hebr 13, 4: «Die Ehe soll in Ehren gehalten werden.» – Die 144 000 sind – Männer und Frauen – Christus verlobt. Vgl. 2 Kor 11, 2: «Ich habe euch einem einzigen Mann verlobt, um euch als reine Jungfrau zu Christus zu führen.»

KOMMENTAR

Botschaften der drei Engel

14,7 In der *Stunde des Gerichts* ist Umkehr nicht mehr möglich.
- *Betet den Schöpfer an.* Vgl. 4, 11 und 10, 6.
14,8 *die große Babylon.* Jes 21, 9. Vgl. 18, 2. Der Fall wird hier angekündigt. Im Sinne des Johannes ist schon jetzt, was erst sein wird. Vgl. 17, 1 – 6.
14,10 *im Zornesbecher Gottes.* Vgl. 16, 6 (Blut / zu trinken gabst du ihnen).
14,13 Zweite Seligpreisung. Vgl. 1, 3 u. Anm. Rissi, S. 35 (‹Jetzt› im Sinne der durch das Christusereignis qualifizierten Gegenwart, die bis zur Parusie dauert).
- *denn ihre Werke folgen ihnen nach.* Hinweis auf das Gesetz des Schicksals.

Die Ernte

14,14 *einer, der dem Menschensohne gleicht.* Dn 7, 13. Vgl. 1, 7. 1, 13. 2, 18. Parusie des Christus. Er *wird* nicht kommen, weil er – in der Schau des Johannes – bereits *gekommen ist.* Davon unabhängig bleibt er der Kommende – der Kommende in Gestalt eines Engels.
14,15 Johannes sieht das Gericht als Ernte Christi mit drei Engeln. – «Nehmt die Sichel, denn die Ernte ist reif.» Joel 3, 13.
14,19 *Die Erde* wird V. 15 – 16 und 18 – 19 jeweils dreimal genannt.
- *in die große Kelter.* Die beiden Bilder der Ernte stehen in Beziehung zum Mysterium von Brot und Wein. Bei der Getreide-Ernte fehlt der Hinweis auf Gottes Zorn.
14,20 *tausendsechshundert.* Zu lesen als 4 x 400 für den viergeteilten Erdenraum, in dem die Entwicklung stattfindet (1+6 = 7).

ZU KAPITEL 15 UND 16

Die sieben Zornesschalen

15

Das gläserne Meer und Gottes Tempel

15,1 Vgl. Jo 3, 36. «Doch wer dem Sohn nicht folgt, / der wird das Leben / nicht sehen; / und auf ihm bleibet Gottes Zorn.»
15,2 *ein Meer von Glas.* Vgl. 4, 6 u. Anm.
– *seines Namens Zahl.* Vgl. 13, 17. – «und seines Namens Zahl» ist nach Rissi ein späterer Zusatz.
15,3 *Das Lied des Mose.* Ex 15. «Singt dem Herrn ein Lied, / denn er ist hoch und erhaben! / Rosse und Wagen warf er ins Meer.»
– *das Lied des Lammes.* Vgl. 7, 9 ff. und 12, 10 ff.
– *Gerecht sind deine Wege.* Ps 145 (Vul 144), 17. Justus Dominus in omnibus viis suis.
15,7 In der Vision der Zornesschalen erreicht der Seher die höchste Stufe der Einweihung, vgl. R. Steiner, 1908, S. 50.

16

Die Schalen des Zorns werden über die Erde geschüttet

16,1 Die Vision der Zornesschalen entspricht weitgehend der Posaunenvision (Gegenüberstellung: E. Lohse, S. 83). Sie endet mit dem Fall Babylons, wie jene mit dem Sturz des Drachen.
16,6 Vgl. 14, 10.
16,7 *dein Gericht.* Wörtlich: deine Gerichte.
16,12 *in den großen Fluss.* Der Euphrat galt als Grenze der Erdenwelt.
– *der Weg der Könige.* Es handelt sich um Herrscher auf

Erden, die im Dienst der dreifach bösen Mächte stehen, vgl. 16, 14.

16,13 *Froschnaturen.* Frösche gelten in der altpersischen Religion als Repräsentanten Ahrimans, des Herrn der Finsternis. Wikenhauser erinnert an Plutarch: Isis, § 46. Im falschen Propheten verbirgt sich das zweihörnige Tier aus der Erde. Die Trinität des Bösen tritt hier vereint auf. – Albrecht Dürer hat in seiner Apokalypse den falschen Propheten in Rückenansicht gezeichnet.

16,15 *ich komme wie ein Dieb.* Christus kommt unbemerkt. Vgl. 3, 3. – Dass die «Zwischenstücke» (vgl. c. 7, 10 f.) gegen Ende kürzer werden, erklärt Rissi, 1965, S. 10 f. mit der Beschleunigung im Zeitenablauf. – Lohmeyer und andere meinen, V. 15 stehe hier irrtümlich. Doch ist die ganze Apokalypse mit irdisch orientierter Logik nicht zu verstehen. Der «Zwischenruf» Christi steigert die Spannung in der geistigen Auseinandersetzung.
– *Selig, wer wacht* ... Dritte Seligpreisung, vgl. 1, 3. «Selig» hier im Sinne von «Groß ist im Geist».

16,16 *Harmagedon.* Lohmeyer weist auf den Berg Karmel als Versammlungsort böser Mächte.

16,17 *vom Thron her tönte eine Stimme.* Die Stimme Gottes, vermittelt durch einen Engel. Vgl. 14, 15 (Die Stunde ist gekommen).

17

Die Frau auf dem Tier

17,1 Babylon, «die du an großen Wassern wohnst» (Jes 51, 13). Bousset, 1906, und viele andere haben die große Babylon auf Rom bezogen. Die «große Babylon» erscheint hier, obgleich sie schon «gefallen» ist (14, 8.

Vgl. auch 16, 19). Babylon war ein jüdischer Deckname für Rom.

17,3 *Im Geiste brachte er mich in die Wüste.* Auch dieser Wüstenort ist wie in 12, 6 in der Geistwelt zu denken. Die Frau auf dem Tier ist das Gegenbild zur himmlischen Frau. Jene flieht vor dem Drachen, diese reitet auf dem Tier, das dem Drachen ähnelt und aus dem Meer aufsteigt. Beide haben sieben Köpfe und zehn Hörner.

— *es hatte sieben Köpfe und zehn Hörner.* Vgl. 13, 1. Das Tier aus dem Meer, der Antichrist.

17,8 καταβάλλω – niederwerfen. καταβολή – Niederwurf, grundlegende Umwendung. Schelling: «Niederwerfung». Einheitsübers.: «seit der Erschaffung der Welt», Luther 1984: «vom Anfang der Welt an» Dietzfelbinger: «seit Grundlegung der Welt». Vgl. 13, 8. – Jo 17, 24.

17,9 *Der Geist, er habe Weisheit* – ὁ νοῦς ὁ ἔχων σοφίαν. Vgl. 13, 18. – Nach Lohmeier steht νοῦς hier in der Bedeutung von πνεῦμα.

— *sieben Berge.* Die meisten Interpreten sehen hier eine Anspielung auf die sieben Hügel Roms. Der tiefere Sinn wird damit eher verdeckt.

17,11 *Der Achte* hat kein eigenes Sein; denn in der Evolution ist er wieder der Erste, also einer der Sieben. Als Achter, der nicht zum Ersten wird, fällt er aus der Evolution heraus: ins Verderben.

17,13 *Nur* eine *Meinung haben sie.* Mit der Vereinheitlichung der Meinung wirkt das Tier gegen die Individualisierung des Menschengeistes.

18

Der Fall Babylons

18,2 Die meisten Interpreten setzen *Babylon* = Rom. Damit wird die endzeitliche Dimension der Schauungen des Johannes verfehlt.

18,4 «*Geh aus*» meint nicht: Geh in eine andere Stadt; denn dort herrschen ähnliche Zustände. Gemeint ist: die verderbliche Lebensführung meiden und anderen ein Vorbild sein.

18,7 *Gebt ihr* ... Die Himmelsstimme spricht vom Gesetz des Schicksals. Gnade setzt den Willen zur Umkehr voraus, die am Ende aber nicht mehr erfolgen kann.

18,18 *Wer glich der großen Stadt?* Zu den Klagen der Könige, Händler und Seeleute vgl. Ez. 26 – 28.

18,20 *Strafe*. Dualistische Zuspitzung. Die Menschheit geht ihrer endgültigen Teilung entgegen. Jesus Sirach, 18, 20, ermahnt seinen Sohn: «Noch *vor* dem Gericht erforsche dich selbst, / dann wird dir in der Stunde der Prüfung vergeben.» Bei Teilung der Menschheit ist es zu spät.

Der Engel mit dem Stein

18,21 Vgl. Ez 27, 34: «Jetzt liegst du zerbrochen im Meer, / in den Tiefen der Fluten. / Deine Handelswaren, dein ganzes Heer / sind mit dir versunken.» – Bock, 1951, hat an das Märchen vom Machandelboom erinnert, in dem ein Mühlstein auf die böse Stiefmutter geschleudert wird.

19

Lobt Gott, den Herrn!

19,4 *Vierundzwanzig Ältesten.* Vgl. 4, 4 und Anm.
– *Vier Wesen.* Cherubim: Löwe, Stier, Mensch-Engel und Adler. Vgl. 4, 6 – 8.
19,5 *Eine Stimme.* Die Stimme eines Thronengels.
19,7 *die Hochzeit / des Lammes.* Vgl. Jo 3, 29.
– *und seine Braut ...* Die Braut ist das himmlische Jerusalem – im Kontrast zu Babylon.
19,9 *Er –* der Thronengel.
– *Selig, wer geladen.* Vierte Seligpreisung, vgl. 1, 3. Christus vereinigt sich mit den Seinen auf ewig. – Nikolaus von Kues, Predigt CLIX: «Es gibt nur eine einzige Freude im Himmel: die des Bräutigams und derer, die an ihr teilhaben.»
19,10 *Dies tue nicht.* Gebete sollen nicht an Engel, sondern unmittelbar an Gott gerichtet werden. Vgl. 22, 9.
– *Das Zeugnis Jesu* Vgl. Jo. 15,26. Der Heilige Geist bezeugt den Christus. Er ist nach Jo 16,13 der Geist der Prophetie (Das Kommende wird er euch künden).

*Der weiße Reiter: das Ende des Tiers
und des falschen Propheten*

19,11 *Geöffnet war der Himmel.* Johannes schaut den Christus, reitend auf einem weißen Pferd, das heißt: als siegenden König. Beim Einzug in Jerusalem ritt er auf einem Esel (nach Sach 9, 9: «Er ist demütig und reitet auf einem Esel»). Jo 12, 14 f.
– *Treu-und-wahrhaftig.* Parusie des Christus, des Wortes Gottes. Vgl. 3, 14. – 14, 14 und 1, 7. Hierzu M. Rissi:

Die Erscheinung Christi nach Offb 19, 11 – 16. In: Theologische Zeitschrift der Theologischen Fakultät der Universität Basel 2, 1965. Holtz, 1962, S. 173 ff.
– *Sein Urteil ist gerecht.* Vgl. Jo 5, 30.
19,12 *Und seine Augen waren Feuerzungen.* Wie das Feuer alle anderen Elemente durchdringt, so der Blick Christi die ätherische Substanz, in der Gutes und Böses eingeschrieben ist: Voraussetzung des gerechten Urteils.
– *Kronen.* διαδήματα.
– Christus ist der wahre König, dessen Reich nicht von dieser Welt ist.
– *doch niemand kennt ihn – nur er selbst.* Vgl. 2, 17.
19,13 *das Wort.* Vgl. Jo 1, 1: «Im Anfang war das Wort, das Wort bei Gott. Gott war das Wort» und 1 Jo 1, 1; auch Jo 1, 12 und 3, 18.
19,14 *das Himmelsheer.* Engel und Zeugen Christi. Lohmeyer: «In 4, 2 tat sich der Himmel dem Seher allein auf, in 11, 19 öffnete sich der himmlische Tempel, jetzt werden gleichsam alle Tore des Himmels aufgetan und seine Bewohner ziehen auf die Erde.»
19,15 *ein scharfes Schwert.* Das Schwert der Unterscheidung aus der Kraft des «Ich bin» – Zeichen des Logos. Vgl. 1, 16 und Hebr 4, 12 («bis es scheidet Seele und Geist»).
– *mit seinem Stab aus Eisen.* Vgl. 2, 27 (Er wird sie weiden mit dem Eisenstab). 12, 5 (Der Knabe, den die himmlische Frau geboren hat, soll die Völker «mit dem Stab aus Eisen» weiden). Ps 2, 9 (Du sollst sie zerschlagen mit einem Stab aus Eisen).
– *für den Wein des Zorns.* Jer 25, 15 «Nimm diesen Becher voll Zornweins ...» Jer 25, 30. – Jes 63, 2 f.
19,17 *Engel in der Sonne.* Michael, der Sonnenerzengel, das «Antlitz Christi».
19,18 Vgl. Ez 39, 17.

20

Die Fesselung des Drachen und das tausendjährige Reich

20,2 *Der Drache*, die alte Schlange, wurde schon in 12, 9, bei seinem Sturz durch Michael, als Teufel und Satan bezeichnet. Auch hier ist es wohl Michael, der den Drachen in den Abgrund sperrt.

– *1000 Jahre* sind bei Gott wie ein Tag. Sie bezeichnen eine Art Zwischenreich auf ätherischer Seinsebene ohne die Wirksamkeit des Drachen und seiner Mächte.

20,5 Die *erste Auferstehung* betrifft den Lebensleib des Menschen.

20,6 *Selig und heilig ist* ... Fünfte Seligpreisung. Wer auf der fünften Stufe selig ist, kann heilig genannt werden.

– Unter dem *zweiten Tod* ist der Tod der Seele zu verstehen, soweit sie nicht im Geist wurzelt. Vgl. 2, 11.

– *Sie werden Priester Gottes sein*. Vgl. 1, 6.

Der letzte Kampf

20,8 *Gog und Magog*. Personifikation der Widersacher und Gegenmächte nach Ez 38 f.

Das Weltgericht

20,11 Christus als Weltenrichter. Vgl. 2 Kor 5, 10 u. Jo 5, 22 – 24. «Der Vater richtet keinen, denn das Gericht hat er dem Sohn gegeben.» Holtz, 1962, 183 f., Schlatter, Wikenhauser, Lohmeyer u. a. denken den Thronenden als Gott-Vater (aus der Sicht des AT).

– *Die Erde und der Himmel flohen*. Vgl. 21, 1.

20,12 Vgl. Agrippa d'Aubigné: Les Tragiques, VI: «Doch dann zur letzten Zeit der schlimmsten Tage / kommt er zu richten und nicht mehr zu Hilf.» – Klopstock: Der Messias, 20, 945 – 948: «... Es zeug' einst, was lebend des Staubs Sohn tat, / Des Gerichts Buch! Und mit Schrift, hell, wie der Blitzstrahl durch Nacht herfleugt, / Schrieb in das Buch, Rächer, dein Heer, was der Mensch tat! grubs / Tränenvoll ein, schweigend, was nunmehr in dem Gericht laut tönt!»

Ein neuer Himmel und eine neue Erde

21

Die himmlische Stadt

21,1 Vgl. Jes 65, 17: «Denn schon erschaffe ich einen neuen Himmel und eine neue Erde.» – Vgl. 20, 11.

21,3 *Eine laute Stimme:* Wohl die Stimme des Erzengels Michael. – Vul «Et ipsi populus Eius erunt», im Original steht Plural (λαοὶ – Völker).

21,5 Der *Thronende* ist hier, wie in 20, 11, Christus, der Sohn Gottes (vgl. 21, 16).

21,6 *Sie sind getan.* Die Worte des Logos-Christós sind tatkräftig: ausgesprochen sind sie auch schon getan.

– *Ich bin* – ἐγώ εἰμι.

– *der Anfang und das Ende.* Vgl. 1, 8. 22, 13.

– *das Wasser.* Vgl. 7, 17. – 22, 17. – Jo 4, 14.

21,8 *der zweite Tod.* Vgl. 20, 6.

21,10 *die heilige Stadt.* Ἱεροσόλυμα – Ἱερουσαλήμ – Jerusalem. Der Name lautet übersetzt: Stadt des Friedens (Hieronymus, Cusanus u. a.). Im Anfang der Evolution befand sich der Mensch im Paradiesesgarten. Dem Bild des Gartens entspricht am Ende die Stadt des Friedens. Die Natur im Garten fand der Mensch vor. Er hat sie nur benannt. Die Gebäude der Stadt sind seine Werke als

Ergebnis der Menschheitsgeschichte. – Über die heilige Stadt und ihre Grundsteine: F. Benesch: Apokalypse, 1981. – Karl der Große hat mit Bezug auf die Vision vom Neuen Jerusalem im letzten Jahrzehnt des 8. Jahrhunderts seine Pfalzkapelle in Aachen erbauen lassen («propria dispositione»). Vgl. Leo Hugot, 1992.
– *Sie kam herab*. Vgl. 21, 2.
21,14 Vgl. 18, 20. Der Verfasser der Apk, der geliebte Jünger Christi, gehört nicht zum Kreis der zwölf Apostel, vgl. Band 2.
21,16 12000 Stadien sind ca. 2400 km. Die Neue Stadt hat die Form eines großen Kubus. Vgl. Ez 40, 3 ff.
21,17 144 = 12 x 12 Ellen sind ca. 70 m.
– *Menschenmaß*. In ihrem Urbild gleichen sich Mensch und Engel. Siehe Eriugena: Über die Einteilung der Natur, 9. Jh.
21,18 *Das Gold* ist in der himmlischen Stadt geläutert: lauter, durchsichtig. In 17, 4 ist Gold mit Greueltaten verbunden.
21,19 Die *12 Edelsteine* stehen in Beziehung zu den 12 Tierkreiszeichen. Unter Jaspis ist hier die Varietät Heliotrop zu verstehen: grün mit roten Einsprengseln, die an die Blutstropfen Christi auf Golgatha erinnern. Im Zeichen Widder wurde das Lamm am 3. April 33 geschlachtet.
21,22 Gott ist der *Tempel* aller; aber jeder einzelne wird sein «Haus» haben, selbstgebaut auf dem Fundament der Gottheit, mit Hilfe des Heiligen Geistes, der darin wohnen wird als in seinem Tempel; denn jeder Menschenleib wird sein ein «Tempel des Heiligen Geistes» (Paulus).
21,27 Im *Lebensbuch* sind nur die Erlösten verzeichnet; das Buch des Schicksals (5, 1) enthält demgegenüber die Lebensläufe der ganzen Menschheit.

22

Der Baum des Lebens

22,1 *von Gottes und des Lammes Thron.* Gott-Vater und Gott-Sohn haben gemeinsam einen Thron, auch 22, 3. Im Folgenden werden Vater und Sohn in Eins geschaut. – Vgl. Jo 7, 38 f. Danach ist der Strom des Lebenswassers ein Bild für den Heiligen Geist, der von Vater und Sohn ausgeht. – Vgl. auch Ps 36, 10: «Denn bei dir (Gott) ist die Quelle des Lebens.» und Ps 13, 14: «Die Lehre des Weisen ist ein Lebensquell, / um den Schlingen des Todes zu entgehen.»

22,4 *sein Angesicht.* Vgl. Jo 1, 18; – 1 Jo 3, 2. Der Satz aus dem AT: «Wer Gott schaut, stirbt» ist nun aufgehoben.

22,5 Wiederholung von 21, 23.

22,6 *Und dann sprach er zu mir.* Lohmeyer bezieht das «er» auf Christus. Es kann auch der Engel sein. Es ist wohl Christus, der durch den Engel spricht. Lohmeyer, S. 7: «So kann durch das ganze Buch hindurch bald Christus, bald ein Engel, Mittler der Visionen sein, und Christus die Züge des Engels (1, 19 f.), der Engel die Züge Christi annehmen (z. B. 10, 1 ff.).» Das gilt vor allem für den Erzengel Michael. – Für J. Lambrecht, 1980, beginnt hier bereits der Epilog.

– *Voll Glaubenskraft und wahr sind diese Worte.* Wiederholung von 21, 5.

– *was bald geschehen muss.* Vgl. 1, 1.

22,7 *Selig, wer die Worte.* Sechste Seligpreisung: Bewahrung der Worte des Wortes, wie sie in diesem Buch niedergelegt sind als Worte der Prophetie.

22,9 Wiederholung des Gebotes von 19, 10.

22,10 *Denn nahe ist die hohe Zeit.* Der Kairós, vgl. 1, 3.

«Nahe» und «bald» sind nicht im Sinne des äußeren Zeitablaufs, sondern qualitativ zu verstehen. Es ist «an der Zeit», die Offenbarung zu veröffentlichen. Insofern ist auch am «bald» der Wiederkehr nicht zu zweifeln. Gesehen wird der Christus aber nur von jenen, die sich für die Schau vorbereitet haben, z.B. durch Meditation der johanneischen Schriften.

22,11 In der Stunde des Gerichts ist Umkehr nicht mehr möglich.

22,13 ἐγώ εἰμι. – Vgl. 1, 8. 17. – 2, 8. – 21, 6. – EvTh Log 18: «Wo der Anfang ist, dort wird auch das Ende sein.»

22,14 *Selig sind* ... Siebente Seligpreisung der Apokalypse. Vgl. 7, 14.

22,15 *Gottlose*. Wörtlich: «Hunde» als Bezeichnung für gottlose Menschen.

Epilog

22,16 *Ich, Jesus*. Im Epilog werden die Motive vom Anfang wieder aufgegriffen. Damit wird die Einheit betont. Der Epilog ist ein Dialog zwischen Christus und dem geliebten Jünger, dem Seher von Patmos.

– *bezeuge*. Vgl. 5, 5 und Anm.

22,17 *Der Geist (Pneuma)* ist auch hier personal gesehen, wie in den sieben Sendschreiben, auch 14, 13, und im Evangelium des Johannes. Die Worte spricht nicht mehr Christus, sondern Johannes. Als Geist bezeichnet er den Engel (der ihn repräsentiert), als Braut die Gemeinden Christi. «Beide aber sind von dem Boden ihrer geschichtlichen Verwirklichung, der Gemeinde, gelöst und gleichsam substantiiert.» (Lohmeyer).

– *Lebenswasser*. Logion Christi. Vgl. 7, 17. – 21, 6. –

Jo 4, 14. – 6, 35. – Jes 55, 1. – Mit dem Lebenswasser verschenkt der Christus sich selbst.

22,18 «*Ich*» ist hier wieder Johannes.

22,19 In der frühchristlichen Überlieferung wurden diese Worte zweifellos beachtet. Man hat offenbar nicht einmal gewagt, sprachliche Fehler zu korrigieren. – Luther, 1528, Deus noster refugium et virtus: «Das wort sie sollen lassen stan.»

– *Baum des Lebens:* wörtlich «Holz des Lebens» (ξύλον – Holz).

22,20 Johannes bezeugt die Worte Christi (22, 18), und Christus bezeugt das Wort, das er selber ist, das der Seher vernommen hat. Er kündigt sein baldiges Kommen an; und Johannes selbst spricht nun zu ihm das «Komm», das die Inspiration wie ein Leitmotiv durchtönt. Das letzte Wort gilt dem Leser und Hörer.

– *Ich komme bald.* Das Wort ertönt hier in c. 22 zum dritten Mal. Vgl. 22, 7. 12, auch 3, 11. ‹Bald›: ohne Verzug, zu jeder Zeit, auch hier und jetzt. – Jo 5, 8: «Die Ankunft des Herrn steht nahe bevor.» – R. Steiner am 14. 10. 1911 (GA 131): «Den Christus selbst werden die Menschen als eine ätherische Gestalt erleben. Und sie werden ihn so erleben, dass sie dann, wie Paulus vor Damaskus, ganz genau wissen, dass der Christus lebt und der Quell ist für die Wiedererweckung desjenigen physischen Urbildes, das wir mitbekommen haben im Beginne unserer Erdentwicklung, und das wir brauchen, wenn das Ich seine völlige Entfaltung erlangen soll.»

Anmerkungen zu den Betrachtungen

>Durch das Erkennen nehme ich Gott
>in mich hinein;
>durch die Liebe hingegen gehe ich in Gott ein.
>*Meister Eckhart, Predigt 7*

1 Irenaeus von Lyon: Adversus haereses, 5, 30, 3. – Die Apokalypse ist im Canon Muratori um 200 enthalten. In der Kanonliste des Konzils von Laodizea (360) fehlt sie, auch Gregor von Nazianz übergeht sie. In der Ostkirche wurde sie erst im 7. Jh. kanonisiert. Umstritten ist sie bis heute.
2 Kaiser Domitian starb im Jahre 96. Irenaeus gibt das Ende seiner Regierungszeit an.
3 Bousset, 1906; Kraft, 1974; Böcher 1998. Für den gleichen Verfasser haben argumentiert: Schlatter, 1923, Lohmeyer, 1926 (1953); Hadorn, 1928; Sickenberger, 1940 (1942); Bock, 1951; Hemleben, 1972; Wistinghausen 1983. Die Diskussion um einen oder mehrere Verfasser setzte schon früh ein.
4 In der Apokalypse gebraucht Johannes das Wort ἀρνίον, im Evangelium das Wort ἀμνός. Das spricht nicht für zwei Verfasser: Es ist ein anderer Zusammenhang.
5 O. Böcher, in: Lambrecht, 1980, S. 289–301.
6 Vgl. G. Mussies: The Greek of the book of Revelation, in: Lambrecht, 1980, 167–177.
7 Er hat vielleicht auch die Apokalypse diktiert, und der Schreiber hat nicht gewagt, Korrekturen anzubringen. Vgl. auch Sickenberger, 1942, S. 34.

8 Πρόχορος – Vortänzer.
9 Papiasfragmente, 1998. – Den Presbyter halten nicht wenige Interpreten für den Verfasser der Apk. – Josephine Ford, 1975, meint, große Teile der Apk stammen vom Täufer Johannes.
10 Siehe Band 2.
11 Dagegen Weiss/Heitmüller, 1920, S. 254: «... so kann diese höchst gesteigerte religiöse Phantasie nur überlieferte Anschauungen und Formen zu einem neuen Bilde zusammenschauen und gruppieren ... Wie es im Himmel aussieht, weiß der Prophet aus seiner Bibel.» Und von wem haben die Propheten des AT abgeschrieben? usw. 1, 1 wird von diesen (und anderen) «kritischen» Interpreten nicht ernst genommen.
12 J. G. Fichte, 1806, 1. Vorlesung: «sonach ist der Zustand des Seligwerdens die Zurückziehung unserer Liebe aus dem Mannigfaltigen auf das Eine. (...) Allerdings ist es wahr, dass durch diese Zurückziehung unseres Gemüts von dem Sichtbaren die Gegenstände unsrer bisherigen Liebe uns verbleichen und allmählich schwinden, so lange, bis wir sie in dem Äther der neuen Welt, die uns aufgeht, verschönert wieder erhalten.»
13 Lohmeyer (1953, 190) betont, dass Gott nur gegenüber Christus Vater genannt wird. Die Menschen sagen nicht «unser Vater», sondern «unser Gott».
14 Vgl. auch 4, 11 und 10, 6.
15 Jes 45, 15: «Wahrhaftig, du bist ein verborgener Gott.»
16 Der Christus = der Messias = der Gesalbte.
17 Der Titel ‹Herr› bezieht sich in der Apk gleichermaßen auf Gott-Vater wie auf Gott-Sohn. «Ich und der Vater sind eins.» (Jo 10, 30).
18 Mt 28, 20.
19 Jo 11, 25 und 14, 6.

20 «Man muss nämlich das Sehende dem Gesehenen ähnlich machen und angleichen, wenn man die Schau erstrebt.» (Plotin, Enn 1, 6).
21 14, 13. 22, 17 und in den Sendschreiben.
22 Jo 16, 13.
23 Jo 14, 26.
24 Vgl. Jo 16, 7–11.
25 Vgl. Eph 2, 2.
26 Jo 16, 7–11.
27 Jo 5, 22.
28 R. Steiner (1908) bezieht die Zahl 666 auf das zweihörnige Tier aus der Erde. Er liest mit Agrippa von Nettesheim 400-200-6-60 mit dem hebräischen Zahlenwert, rückwärts: Sorat. «Sorat ist der Name des Sonnendämons, des Gegners des Lammes.» (GA 104, 1962, S. 228). Zeitgeschichtliche Beziehungen lehnt Steiner ebenso ab, wie später die Theologen Lohmeyer (1926/53) und Sickenberger (1940/42).
29 Vgl. 1, 13–16 und das Kap. «Christus: Gottessohn und Menschensohn».
30 Entsprechungen zu den Evangelisten: Matthäus, Markus, Lukas, Johannes mit den zugehörigen Tierkreiszeichen: Wassermann, Löwe, Stier, Skorpion (der sich in den Adler verwandeln wird).
31 Weisheit und Verstand, Rat und Stärke, Erkenntnis und Ehrfurcht und zusammenfassend wahre Frömmigkeit (nach Jes 11, 2).
32 Die sieben Farben des Regenbogens werden mit dem Ausdruck «wie von Smaragd» zusammengefasst.
33 Siehe Band 2.
34 A. Y. Collins, 1976, hat darüber hinaus zwei mal sieben Visionen gezählt: 12, 1 – 15, 4 und 19, 11 – 21, 8.
35 E. Lohmeyer, 1953, S. 186.

36 Über die Zahl 24 vgl. Komm. zu 4, 4; über 666 das entsprechende Kapitel.
37 Schelling, 1809: «Frei ist, was nur den Gesetzen des eignen Wesens gemäß handelt und von nichts anderem weder in noch außer ihm bestimmt ist.» Ed. Fuhrmans, S. 50. – Steiner, Philosophie der Freiheit, c. 13, 1918: «Soll Freiheit sich verwirklichen, so muss in der Menschennatur das Wollen von dem intuitiven Denken getragen sein.»
38 Jo 16, 13.
39 Schelling, 1809: «jede Kreatur fällt durch ihre eigne Schuld».
40 Schelling: Philosophie der Offenbarung, 1959, Bd. 2, S. 332.
41 Jo 8, 32.
42 Die Datierungen schwanken zwischen 1000 und 1020. Vgl. Gude Suckale-Redlefsen, in: Das Buch mit sieben Siegeln, Katalog 2000, S. 93 ff.
43 Eine geteilte Strecke verhält sich zum längeren Teilstück wie dieses zum kürzeren. Vgl. Harnischfeger, 1981.
44 Dicebat Bernardus Cartonensis nos esse quasi nanos, gigantium humeris incidentes, ut possimus plura eis et remotiora videre, non utique proprii visus acumine, aut eminentia corporis, sed quia in altum subvehimur et extollimur magnitudine gigantea. Zit. n. Gilson-Böhner: Christliche Philosophie, 1954, S. 381. – Das Motiv zwölf Apostel auf den Schultern von Propheten zeigt ein Taufstein, um 1180, im Dom zu Merseburg. Abb.: G. Schiller, IV, 1, Nr. 96. – Vgl. auch die Gewändefiguren am Fürstenportal des Bamberger Doms (um 1225).
45 Die Entfaltung des Keims erfolgte erst in der Neuzeit.
46 Vgl. 11, 3 und Anmerkung.
47 Nach Dirk de Vos, 1994. Vgl. auch Abb. 2.

48 Der Teppich hat das gleiche Muster wie jener am Thron Marias auf dem Mittelbild.
49 Hieronymus Bosch: Johannes auf Patmos, 1489/95. Eiche, 63 x 43, 3 cm. Berlin: Gemäldegalerie. – Als zugehörig gilt «Johannes der Täufer», Madrid: Prado.
50 Nach Apk 18. – L. Silver, 2006, spricht von einer Seeschlacht.
51 Ein Teufel, der dem Apokalyptiker das Tintenfass stehlen möchte, ist öfter gemalt worden.
52 Charles de Tolnay: Hieronymus Bosch, Das Gesamtwerk. Baden-Baden 1965. L. Silver, 2006, S. 206.
53 Redslob: Die Gemäldegalerie Berlin-Dahlem. Baden-Baden 1964. Immerhin berichtet noch Thomas von Aquin, dass «der alte Evangelist wie ein Junge mit einem Rebhuhn spielte, woran einige Anstoß nahmen» (S th 2, II, qu. 168 a. 2).
54 W. Fraenger: Das tausendjährige Reich. Coburg 1947. Gegen Fraenger polemisiert Larry Silver: Hieronymus Bosch. München 2006. Vgl. auch Lynda Harris: Hieronymus Bosch. Stuttgart 1996.

Literaturverzeichnis

Die Bibel. Vulgata. Frankfurt am Main 1826.
Novum Testamentum Graece et Latine, ed. Nestle–Aland, 22. Aufl. 1969.
Das Neue Testament, Interlinearübersetzung von Ernst Dietzfelbinger. 5., korr. Aufl., Stuttgart 1994.
Die gantze Heilige Schrifft, übers. v. Martin Luther, 1545. Neu hrsg. v. H. Volz, 1972.
Das Neue Testament nach der Übersetzung Martin Luthers. Revidierter Text, Stuttgart 1984.
Neue Jerusalemer Bibel, mit Einheitsübersetzung. 11. Aufl., Freiburg i. Br. 2000.
Wilhelm Schneemelcher: *Neutestamentliche Apokryphen*, Band I: Evangelien; Band II: Apostolisches u. a., 6. Aufl., Tübingen, Band 1, 1990; Band 2, 1997.
Bauer-Aland. Walter Bauer: *Griechisch-deutsches Wörterbuch zu den Schriften des Neuen Testaments*, ed. K. u. B. Aland. 6., neu bearbeitete Aufl., Berlin 1988.

Agrippa d'Aubigné: *Les Tragiques* (1616). Paris 1959.
Pierre-Marie Auzas et al.: *Die Apokalypse von Angers.* München 1985.
William Barclay: *Offenbarung des Johannes*, 2 Bände. Wuppertal 1970.
Friedrich Benesch: *Apokalypse. Die Verwandlung der Erde. Eine okkulte Mineralogie.* Stuttgart 1981.
Berlin, Gemäldegalerie. Gesamtverzeichnis, SMPK 1996.
Emil Bock: *Apokalypse.* Stuttgart 1951.
M. E. Boismard: Die Apokalypse. In: A. Robert u. A. Feuillet:

Einleitung in die Heilige Schrift, Band 2. Wien 1964, S. 635 ff.

Ernst Bindel: *Die geistigen Grundlagen der Zahlen.* Stuttgart, 3. Aufl. 1977 (1958).

Otto Böcher: *Die Johannesapokalypse.* Forschungsbericht. 4., erw. Aufl., Darmstadt 1998.

Wilhelm Bousset: *Die Offenbarung Johannis.* Göttingen 1896. 2., verb. Aufl. 1906, Nachdr. 1966.

Charles Brütsch: *La Clarté de l'Apocalypse.* 5. Aufl., Paris 1966.

Raymond Cazelles und Johannes Rathofer: *Das Stundenbuch des Duc de Berry – Les très riches Heures.* Luzern 1988, Sonderausgabe Wiesbaden 1996.

Robert Henry Charles: *A Critical und Exegetical Commentary on the Revelation of St. John.* 2 Bände, Edinburgh 1920.

Adela Yarbro Collins: *The Combat Myth in the Book of Revelation.* Missoula 1976.

Boudewijn Dehandschutter: The Meaning of Witness in the Apocalypse. In: Lambrecht (Hrsg.), 1980, S. 283–288.

Albrecht Dürer: *Die Apokalypse,* 1498. Ed. Ludwig Grote. München 1971.

André Feuillet: *L'Apocalypse. Etat de la question.* Paris 1963.

Johann Gottlieb Fichte: *Die Anweisung zum seligen Leben,* 1806. Ed. D. Lauenstein. Stuttgart 1962.

Peter Findeisen: *Halberstadt – Dom.* Königstein, 2. Aufl. 1996.

Fiorenza: siehe E. Schüssler.

Josephine M. Ford: *Revelation.* Garden City, New York 1975.

Wilhelm Fraenger: *Das tausendjährige Reich.* Coburg 1947.

Michael Frensch: *Unterscheidung der Geister.* Schaffhausen 2004.

Wilhelm Hadorn: *Die Offenbarung des Johannes.* Leipzig 1928.

Ferdinand Hahn: Zum Aufbau der Johannesoffenbarung, in: *Kirche und Bibel*, Fs E. Schick, 1979, S. 145–154.

Roland Halfen: *Chartres*, Bd. 4 (Architektur u. Glasmalerei), Stuttgart 2007.

Ernst Harnischfeger: *Die Bamberger Apokalypse*. Stuttgart 1981.

Edgar Henneke: *Apokryphe Apokalypsen*. Wiesbaden 2007 (1924).

Emanuel Hirsch: *Studien zum vierten Evangelium*. Tübingen 1936.

Traugott Holtz: *Die Christologie der Apokalypse des Johannes*. Berlin 1962.

Traugott Holtz: Gott in der Apokalypse. In: Lambrecht (Hrsg.), 1980, S. 247–265.

Leo Hugot: *Der Dom zu Aachen*. Aachen 1992.

Irenäus von Lyon: *Adversus Haereses*, 5 Bände (= Fontes Christiani, 8). Freiburg i. Br. 1993–2001.

Martin Karrer: *Die Johannesoffenbarung als Brief. Studien zu ihrem literarischen, historischen und theologischen Ort*. FRLANT 140, Göttingen 1986.

Peter K. Klein: *Die Trierer Apokalypse*. Graz 2001.

Richard Kraemer: *Die Offenbarung des Johannes in überzeitlicher Deutung*. Wernigerode 1929.

Heinrich Kraft: *Die Offenbarung des Johannes*. Tübingen 1974.

Georg Kretschmar: *Die Offenbarung des Johannes. Die Geschichte ihrer Auslegung im 1. Jahrtausend*. Stuttgart 1985.

Manfred Krüger: *Michael. Imaginationen eines Erzengels*. Dornach 2007.

Manfred Krüger: *Albrecht Dürer. Mystik, Selbsterkenntnis, Christussuche*. Stuttgart 2009.

Manfred Krüger: *Innere Ruhe. Christus im Seesturm*. Dornach 2010.

Jan Lambrecht (Hrsg.): *L'Apocalypse johannique et l'Apocalyptique dans le Nouveau Testament.* Leuven 1980.

Jan Lambrecht: The Book of Revelation and Apocaltic in the New Testament, in: J. Lambrecht (Hrsg.): *L'Apocalypse johannique ...*, 1980, 11–18.

LCI = Lexikon der christlichen Ikonographie, ed. E. Kirschbaum. Freiburg i. Br. 1994 (1968).

Ernst Lohmeyer: *Die Offenbarung des Johannes.* 2., erg. Aufl., ed. G. Bornkamm, Tübingen 1953 (1926).

Eduard Lohse: *Die Offenbarung des Johannes.* Göttingen 1960, 3. Aufl. 1971.

Jean Longnon und Raymond Cazelles: *Die Très riches Heures des Jean Duc de Berry im Musée Condé, Chantilly.* München 1989.

Johannes Munck: *Petrus und Paulus in der Offenbarung Johannis.* Kopenhagen 1950.

Muspilli, in: *Altdeutsches Lesebuch*, ed. W. Braune. Tübingen, 14. Aufl. 1962.

Gerard Mussies: *The Greek of the book of Revelation.* In: Lambrecht (Hrsg.), 1980, S. 167 – 177.

Papiasfragmente, Hirt des Hermas, ed. U. H. J. Körtner u. M. Leutzsch. Darmstadt 1998. (= Schriften des Urchristentums, III).

René Planchenault: *Les Tapisseries d'Angers.* Paris o. J.

Pierre Prigent: Le Temps et le Royaume dans l'Apocalypse, in: Lambrecht (Hrsg.), 1980, 231 – 245.

Gilles Quispel: *The secret Book of Revelation,* 1979.

Ulrich Rehm: Eine Bildfolge des 14. Jahrhunderts zur Apokalypse des Johannes. In: *Anzeiger des Germanischen Nationalmuseums,* 1996, S. 7–34.

Matthias Rissi: *Was ist und was geschehen soll danach.* Zürich 1965.

Matthias Rissi: *Alpha und Omega.* Basel 1966.

Akira Satake: *Die Gemeindeordnung in der Johannesapokalypse*. Neukirchen 1966.
Akira Satake: *Die Offenbarung des Johannes*. Göttingen 2008.
Friedrich Wilhelm Joseph Schelling: *Philosophische Untersuchungen über das Wesen der menschlichen Freiheit*, 1809. Ed. H. Fuhrmans. Düsseldorf 1950.
F. W. J. Schelling: *Urfassung der Philosophie der Offenbarung*, ed. W. E. Ehrhardt, 2 Bände. Hamburg 1992.
Adolf Schlatter: *Erläuterungen zum Neuen Testament*, Bd. 3 (u. a. zur Offenbarung). Stuttgart 1923.
Reinhold Schneider: *Apokalypse. Sonette*. Baden-Baden 1946.
Hans Werner Schroeder: *Der Mensch und das Böse*. Stuttgart 1984.
Elisabeth Schüssler Fiorenza: Apokalypsis and Propheteia, in: *L'Apocalypse johannique ...*, ed. Lambrecht, 1980, S. 105–128.
Elisabeth Schüssler Fiorenza: *Das Buch der Offenbarung*. Stuttgart 1994.
Joseph Sickenberger: *Erklärung der Johannesapokalypse*. Bonn 1940, 2. Aufl. 1942.
Larry Silver: *Hieronymus Bosch*. München 2006.
Wladimir Solowjow: *Drei Gespräche*. Bonn 1954.
Friedrich Spitta: *Die Offenbarung des Johannes*. Halle 1889.
Rudolf Steiner: *Die Apokalypse des Johannes*. Vorträge in Nürnberg 1908. GA 104, Dornach 1962.
Gude Suckale-Redlefsen u. Berhard Schemmel (Hrsg.) *Das Buch mit 7 Siegeln. Die Bamberger Apokalypse*. Katalog, Luzern und Wiesbaden 2000.
Charles de Tolnay: *Hieronymus Bosch*. Baden-Baden 1965.
Trierer Apokalypse: siehe Peter K. Klein.
Przemyslaw Trzeciak: *Hans Memling*. Berlin 1977.
Ugo Vanni: L'Apocalypse johannique. État de la question. In: Lambrecht Hrsg.), 1980, S. 21 – 46.

Literaturverzeichnis

Anton Vögtle: *Das Buch mit den sieben Siegeln*. Freiburg i. Br. 1981.

Velázquez: Werkverzeichnis von José Lopez-Rey, 2 Bände. Köln 1996.

Dirk de Vos: *Hans Memling. Das Gesamtwerk*. Stuttgart – Zürich 1994.

Johannes Weiß und Wilhelm Heitmüller: Die Offenbarung des Johannes, in: *Die Schriften des Neuen Testaments*, Band 4, S. 229 ff. 3. Aufl., Göttingen 1920.

Alfred Wikenhauser: *Die Offenbarung des Johannes*. Regensburg 1947.

John Williams: *Beatus-Apokalypse der Pierpont Morgan Library*. Stuttgart und Zürich 1991.

Weitere Literatur: siehe Band 2.

Abkürzungen

Apk = Apokalypse
AT = Altes Testament
BKV = Bibliothek der Kirchenväter
c. = Kapitel
Dn = Daniel
Dtn = Deuteronomium
ed. = herausgegeben von
Enn = Enneade
Eph = Epheser
EvTh = Thomasevangelium
Ex = Exodus
Ez = Ezechiel (Hesekiel)
Fs = Festschrift
GA = Gesamtausgabe
Gal = Galater
Gen = Genesis
Hebr = Hebräer
Hrsg. = Herausgeber
Jak = Jakobus (Herrenbruder)
JB = Jerusalemer Bibel
Jer = Jeremia
Jes = Jesaja
Jo = Johannes
Kön = Könige
Kol = Kolosser
Kor = Korinther
LCI = Lexikon der christlichen Ikonographie
Lev = Levitikus
Lk = Lukas

Mk = Markus
Mt = Matthäus
NT = Neues Testament
Num = Numeri
Offb = Offenbarung
o. J. = ohne Jahreszahl
Ps = Psalm
qu. = quaestio (Frage, Untersuchung)
Sach = Sacharja
Sir = Jesus Sirach (Ecclesiasticus)
Spr = Sprichwörter
S th = Summa theologiae
Thess = Thessalonicher
Tim = Timotheus
Vul = Vulgata
Weish = Weisheit